Guía visual del embarazo y del parto

Guía visual del embarazo y del parto

J. del Hoyo Calduch
A. Cassan

Barcelona 1995

Gestión gráfica: X. Ruiz
Diseño y maquetación: F. Cartes / M. Plass

Dirección editorial: J. Giralt Radigales
Redacción: A. Pérez
Producción: F. Villaubí Campos

Dibujos: J. Mundet y M. Baqués
Fotografía: AGE fotoStock, Aisa, Firo-Foto,
Fototeca Stone, Marco Polo, L. Sogas, Stock
Photos, Zardoya

Primera edición: diciembre de 1995

© 1995 L.G.S.A
  Diputació, 250 - 08007 Barcelona

Fotocomposición: Marquès, S.L.
Fotomecànica: Digitalcrom, Barcelona.
Impresión: Cayfosa, ctra. de Caldes, km 3
  08130 Santa Perpètua de Mogoda

ISBN: 84-246-8511-3
Depósito legal: B. 41.039-1995

Sumario

Trastornos y complicaciones del embarazo   91

Preparación al parto   111

El parto

El postparto

Introducción

La información es, sin lugar a dudas, un pilar esencial de la promoción de la salud, siempre que se considere este concepto en su sentido más amplio. Saber lo que pasa en nuestro organismo, aunque sea a grandes rasgos pero con veracidad, nos permite interpretar con bastante seguridad las transformaciones que experimenta nuestro cuerpo; y no sólo en relación a cambios ocasionados por factores patológicos, como los que tienen lugar cuando estamos enfermos, sino también en relación a modificaciones biológicas que deben ser consideradas normales. Todavía más, saber interpretar la normalidad, término ambiguo y relativo, es fundamental para hablar de salud.

Y si lo que decimos es válido para cualquier momento de la vida, todavía lo es más cuando nos referimos a una época tan esencial como la del embarazo. Una etapa de la vida en que el organismo femenino experimenta unas transformaciones extraordinarias, cuyo objetivo es acoger en su interior un nuevo ser; una situación biológica que no se puede comparar con ninguna otra, hasta el punto que resulta difícil comparar un determinado embarazo con cualquier otro. Y es que la gestación y el nacimiento de cada nuevo ser es un acontecimiento único e irrepetible, y como tal debe ser contemplado desde todos los aspectos, tanto los orgánicos como los emocionales y psicológicos.

Con la unión de dos células particulares procedentes de los progenitores, un óvulo y un espermatozoide, se forma otra célula muy especial, llamada zigoto, de la que surgirá un nuevo ser. En efecto, de una sola célula, mediante infinidad de divisiones, especializaciones y combinaciones celulares, se formará una persona. Y el proceso no es simple, sino complejo y sofisticado. La unión del óvulo y el espermatozoide, llamada fecundación o fertilización, es una especie de señal de salida de una competición singular: la carrera de la vida. A partir de este momento se abre una etapa de máxima expectación en la cual, día a día, el esbozo del nuevo ser se va convirtiendo en una realidad completa.

Y durante unos meses, como no podría ser de otro modo, los pensamientos de la futura madre y del futuro padre se centran en este ser que palpita y se desarrolla en el seno materno. Pero no sólo se disparan las emociones y las expectativas, también las dudas, una cierta preocupación y, a menudo, algunos temores. Una sensación de incertidumbre hasta cierto punto lógica, pero que suele tener como base fundamental el desconocimiento de los procesos biológicos que tienen lugar.

La gestación es un acontecimiento natural y espontáneo, y se desarrolla siguiendo unas pautas predeterminadas. En realidad, no hay nada más natural y básico que este proceso, responsable de la continuidad de la especie humana. Pero lo que decimos podría hacer pensar que poco importa lo que se sepa sobre este tema, que la naturaleza ya dispone de recursos propios y que, por lo tanto, el embarazo seguirá su curso inexorable hasta el nacimiento del nuevo ser. Una idea que, a la luz de los conocimientos actuales, puede considerarse más bien ingenua. Hoy en día sabemos que los futuros padres pueden hacer mucho más que esperar...

Hemos empezado diciendo que la información es una cuestión fundamental, e insistimos en ello, por diversas razones. Para empezar, tener una idea de cómo se va desarrollando el futuro hijo en el vientre materno ilusiona mucho, y es importante que la futura madre y el futuro padre vivan esta etapa con la máxima ilusión. Pero todavía hay más.

Por ejemplo, el bienestar del futuro ser depende en buena parte de lo que hace la madre durante la gestación en lo que se refiere a la alimentación, la higiene, la actividad física, etc; e incluso del hecho que se eviten algunos peligros potenciales que en la actualidad son bien conocidos. El adecuado conocimiento de todos estos factores es importante para garantizar que todo vaya bien, y que no se cometan imprudencias que puedan perjudicar el desarrollo del pequeño ser en plena formación.

También hay que tener en cuenta que durante el embarazo se producen tantas y tan considerables transformaciones en el organismo femenino que no siempre es fácil determinar su normalidad. Y ello debe contemplarse desde dos ángulos diferentes. Por un lado, es posible que una modificación que sorprenda y asuste deba ser considerada un hecho absolutamente normal que, aunque pueda ocasionar alguna molestia, no debe constituir una fuente de preocupación. Por otra parte, hay que tener en cuenta que a veces se puede desarrollar algún trastorno o complicación que deba considerarse potencialmente peligroso, y que por lo tanto requiere diagnóstico y tratamiento. No es cuestión de obsesionarse, pero sí que resulta conveniente

conocer las posibilidades y saber de qué medios se dispone actualmente para revisar el desarrollo del embarazo, y controlar al mismo tiempo el bienestar de la madre y del hijo que está gestándose.

Lo mismo se puede decir en relación a la culminación del proceso de gestación: el parto, el nacimiento del nuevo ser. Se trata de un acontecimiento natural, pero que no por ello deja de ser afrontado con incertidumbre, con un cierto temor. Y precisamente este tema, fruto igualmente del desconocimiento de lo que debe pasar, es uno de los principales enemigos que hay que combatir; y hay que hacerlo, lógicamente, con la información adecuada.

¿Y de dónde sale toda esta información que hemos nombrado repetidamente? Las fuentes son diferentes, pero no todas buenas ni deseables. La mejor información, y en la que hay que confiar en todos los casos, es la que ofrece el equipo médico que controla el embarazo, que se basa en su experiencia y también en las exploraciones y los análisis que permiten seguir particularizadamente el desarrollo de cada gestación. Mucho menos fiable, y a menudo desafortunada, es la información procedente de familiares y amigos que, aunque con buena intención, ofrecen consejos que no siempre se ajustan a la realidad.

Por otra parte, los futuros padres tienen a su alcance libros y publicaciones especializadas, más o menos profundos y más o menos fiables. Está claro que conviene escoger entre todas las ofertas las que tengan garantía suficiente y se adapten a las necesidades específicas. La información es fundamental, pero siempre que sea verdadera; los consejos son buenos, pero siempre que tengan una base seria contrastada.

Nosotros, con esta obra profusamente ilustrada, pretendemos aportar un complemento para acceder a una información útil y rigurosa que, además, sea amena, gráfica y accesible. Si con ello conseguimos aportar a nuestros lectores más seguridad, resolver dudas o rechazar ideas equivocadas; si vosotros, futuros padres, os sentís acompañados y apoyados en el fantástico viaje que habéis iniciado, estaremos plenamente satisfechos, ya que habremos conseguido, sin duda, nuestro objetivo.

Dr. Josep del Hoyo i Calduch
Dr. Adolf Cassan

Desarrollo del embarazo

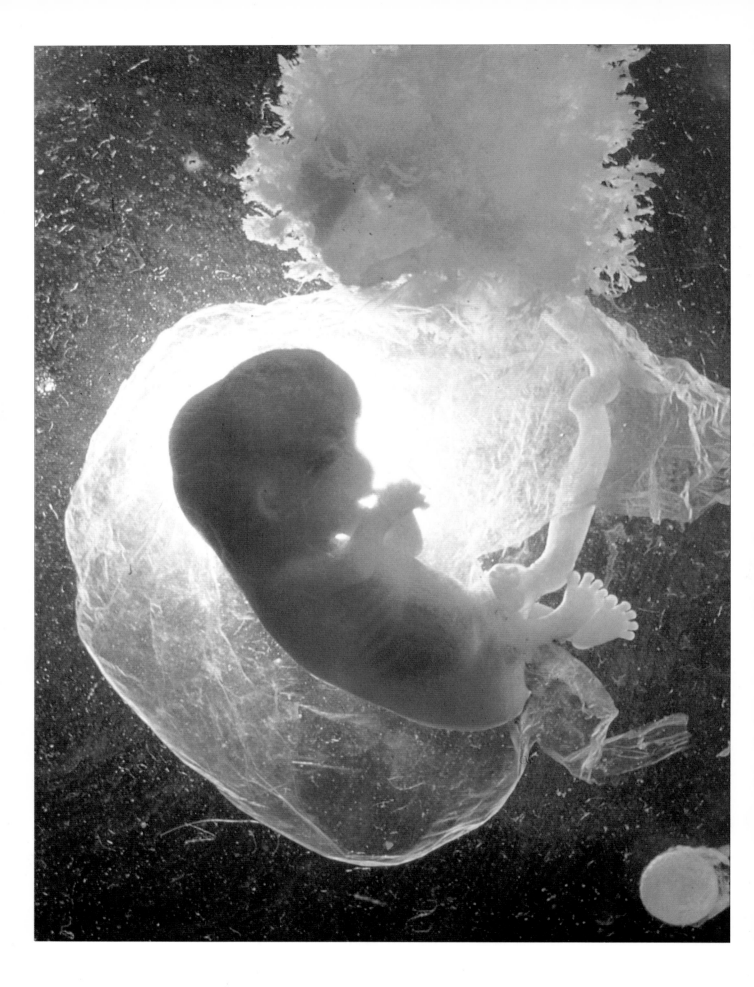

El embarazo o gestación es el proceso fisiológico que hace posible la reproducción de los individuos de la especie humana: la formación de un nuevo ser que se desarrolla en el interior del organismo de una mujer y que, aproximadamente después de nueve meses de evolución intrauterina, abandona el claustro materno y aparece en el medio externo para iniciar una vida autónoma.

Se trata de un proceso extraordinariamente complejo del que, si bien hoy día se conocen con exactitud los factores que determinan el comienzo y los estadios evolutivos que se suceden hasta el momento del nacimiento, todavía no han sido resueltas algunas cuestiones básicas, ya que siguen a oscuras los mecanismos íntimos que regulan la multiplicación y la diferenciación de las células que progresivamente van constituyendo las sofisticadas estructuras del organismo del nuevo ser. De todas maneras, los conocimientos y la tecnología han avanzado tanto en este sentido, que incluso disponemos de fotografías microscópicas que nos permiten visualizar la primera célula, la que después de infinidad de multiplicaciones al final de la gestación dará como fruto un niño, y también de imágenes que hacen posible la observación del aspecto que tiene el embrión y el feto en sus sucesivas transformaciones dentro del seno materno, etapa por etapa, hasta el final del embarazo, que corresponde al proceso del parto.

En realidad, a pesar de que persisten algunas incógnitas sobre el poco menos que milagroso inicio de la vida, pocos campos del conocimiento científico han avanzado tanto en los últimos tiempos como el que hace referencia a la reproducción humana. No sólo se pueden describir exactamente las circunstancias que constituyen el comienzo de la gestación, sino que también se pueden aprovechar los conocimientos adquiridos para poder detectarlo mediante pruebas específicas incluso antes de que se haga evidente, y hasta se dispone de recursos que permiten una auténtica planificación familiar, ya que contamos con medios anticonceptivos que hacen posible evitar embarazos no deseados y también con procedimientos que muchas veces permiten que parejas que presentan problemas de esterilidad tengan descendencia.

Podríamos afirmar, en pocas palabras, que hoy en día nos enfrentamos a una verdadera revolución en lo que atañe al conocimiento y a las posibilidades de actuación en el campo de la reproducción humana, lo que permite llevar a cabo un seguimiento riguroso de los embarazos. El progreso se hace evidente al comprobar que en nuestro medio se ha conseguido una drástica disminución de la mortalidad perinatal, infantil y materna. Sin duda, como opinan unánimemente todos los expertos en la materia, la información que a nivel general se tiene sobre estas cuestiones es un extremo de la máxima importancia para que el desarrollo del embarazo funcione satisfactoriamente, tanto para los mismos padres como para el futuro miembro de la familia.

La constitución de un nuevo ser comienza con la fecundación o fertilización, es decir, el encuentro y la fusión de dos células muy especiales, llamadas células germinales o gametos, una proveniente de la madre, el óvulo, y la otra procedente del padre, el espermatozoide. Ambos gametos, formados en las glándulas germinales o gónadas de los progenitores -el ovario femenino o el testículo masculino-, tienen una característica que los distingue del resto de las células del cuerpo humano: a diferencia de la casi totalidad de los elementos celulares del organismo, que disponen de una dotación de 46 cromosomas, tanto el óvulo como el espermatozoide contienen la información genética que rige la actividad celular y, dado que cada una de las dos células germinales contiene 23 cromosomas, la unión de ambas da lugar a la formación de otra, la célula huevo o zigoto, dotada de 46 cromosomas que contienen genes procedentes tanto del padre como de la madre, en una combinación única e irrepetible, y a partir de la cual derivarán todos los elementos que, a medida que se van diferenciando, conformarán las múltiples y variadas estructuras orgánicas del nuevo ser.

Para que la fecundación sea posible, hay que combinar una serie de factores. Para empezar, como es lógico, tienen que formarse en los futuros progenitores células germinales maduras, lo cual, tanto en el organismo masculino como en el femenino, empieza a suceder en la época de la pubertad. A partir de entonces, en los testículos del hombre se elaboran de forma continua espermatozoides que, con cada eyaculación, son expulsados por millones hacia el exterior flotando en el líquido seminal. Por su parte, en los ovarios de la mujer, cada uno de los cuales contiene unas 400.000 células germinales inmaduras desde el momento del nacimiento, a partir de la pubertad se produce la maduración periódica de óvulos coincidiendo con el funcionamiento cíclico del aparato reproductor femenino; así, aproximadamente una vez al mes, hacia la mitad del ciclo menstrual se produce la ovulación, es decir, la liberación de un óvulo maduro que se desprende del ovario y es captado por la trompa de Falopio, una estructura tubular que lo conduce hacia el útero y en donde, eventualmente, puede ser fecundado por un espermatozoide.

Para que el encuentro natural entre óvulo y espermatozoide sea posible, como requisito básico tiene que efectuarse un coito vaginal en la época de la ovulación. Así, los espermatozoides dipositados en la vagina con la eyaculación,

después de penetrar en la matriz por la abertura del cuello uterino y de atravesar toda la cavidad del útero, pasarán a la trompa de Falopio, donde podrán encontrarse con el óvulo maduro desprendido del ovario. Dado que la vida de los espermatozoides y de los óvulos es limitada, la fecundación sólo es posible si el coito se lleva a cabo en el curso de los pocos días que constituyen el período fértil del ciclo menstrual femenino.

Así pues, si se dan los requisitos referidos, en el interior de la trompa de Falopio se produce el encuentro del óvulo con los espermatozoides que, después de su recorrido por el aparato genital femenino, han llegado a esta localización y aún se mantienen activos. Sólo uno de los espermatozoides conseguirá establecer un contacto íntimo con el óvulo y hacer que su material cromosómico penetre en su interior. En este momento se constituye la célula huevo o zigoto, la semilla del nuevo ser. A partir de entonces, con la duplicación de la célula inicial y, a su vez, la de todas las resultantes, empezará el proceso de gestación.

Actualmente, gracias a los diferentes métodos utilizados con el objetivo de una planificación familiar, es posible intervenir activamente tanto para impedir la consecución del embarazo cuando esto se pretenda, como para facilitarla cuando existe espontáneamente alguna dificultad, para que se produzca la fecundación. Con el fin de alcanzar el primer cometido, se cuenta con diversos procedimientos llamados genéricamente anticonceptivos, como son los medios naturales basados en la continencia sexual durante el período fértil de la mujer, la utilización de dispositivos como el diafragma o el condón que actúan como barrera para el acceso de los espermatozoides en el interior del útero, la aplicación intravaginal de sustancias espermicidas que inactivan los gametos masculinos, la administración de fármacos hormonales —la popular "píldora"— que inhiben el proceso de la ovulación, o la colocación de un dispositivo intrauterino que genere en el interior de la matriz un medio hostil para la acogida de la célula huevo. Con la finalidad de hacer posible el inicio del embarazo cuando su consecución espontánea no es posible, se cuenta, por el contrario, entre otras posibilidades, con el método de inseminación artificial y el de la fecundación *in vitro*, cuyo objetivo es conseguir el encuentro y la unión de las células germinales para que posteriormente, en el interior del útero de la madre, el embarazo continúe su curso natural.

Tomando como punto de partida la fecundación, se suceden diversas fases evolutivas de la gestación que, por término medio después de 266 días —o bien 280 días, si se comienza el cálculo el primer día de la última menstruación ocurrida antes de la fertilización—, finaliza con el parto y el nacimiento del nuevo ser.

En primer lugar, se desarrolla el llamado período germinativo, en que se produce la sucesiva duplicación de la célula huevo y de sus descendientes, y se forma un conglomerado celular que viaja a lo largo de la trompa de Falopio hasta llegar a la cavidad interna del útero. Allá, alrededor de una semana después de la fecundación, el huevo, constituido ya por unas cuantas decenas de células, establece un íntimo contacto con la mucosa uterina que se ha ido preparando para esta eventualidad, y finalmente acaba por implantarse. Esto marca el inicio de unos acontecimientos que harán posible la continuación del embarazo, ya que algunas de las células en contacto con la mucosa uterina comienzan a elaborar una hormona especial que pasa a la circulación materna y desencadena una serie de transformaciones en el organismo femenino que son indispensables para el mantenimiento de la gestación.

A partir de la implantación del huevo en la mucosa interna del útero, comienza la fase embrionaria, que abarca el primer trimestre de la gestación y durante la que se generan todos los órganos del nuevo ser y se desarrollan el resto de estructuras gestacionales, como son las membranas del saco amniótico dentro del cual, y flotando en un líquido, quedará contenido el feto, así como la placenta, el órgano a través del cual tendrá lugar el intercambio de sustancias entre los organismos de la madre y del hijo a lo largo del embarazo. Este es el período más crítico para la evolución del futuro ser humano, ya que en esta fase se esbozan todos sus órganos, y los embriones que son defectuosos y no cuentan con las estructuras indispensables para que su vida sea posible son eliminados mediante abortos espontáneos.

Desde el tercer mes y hasta el momento del parto se establece el período fetal, durante el cual el nuevo ser adopta una constitución definitivamente humana y se produce la maduración de las estructuras corporales. Procedente de una sola célula, el zigoto, después de una evolución de nueve meses en que se experimenta un vertiginoso crecimiento, el organismo del feto contará ya con millones y millones de elementos celulares que forman los diversos tejidos y órganos, íntimamente y perfectamente interrelacionados, capaces de hacer posible su vida autónoma después del nacimiento.

En busca de un hijo

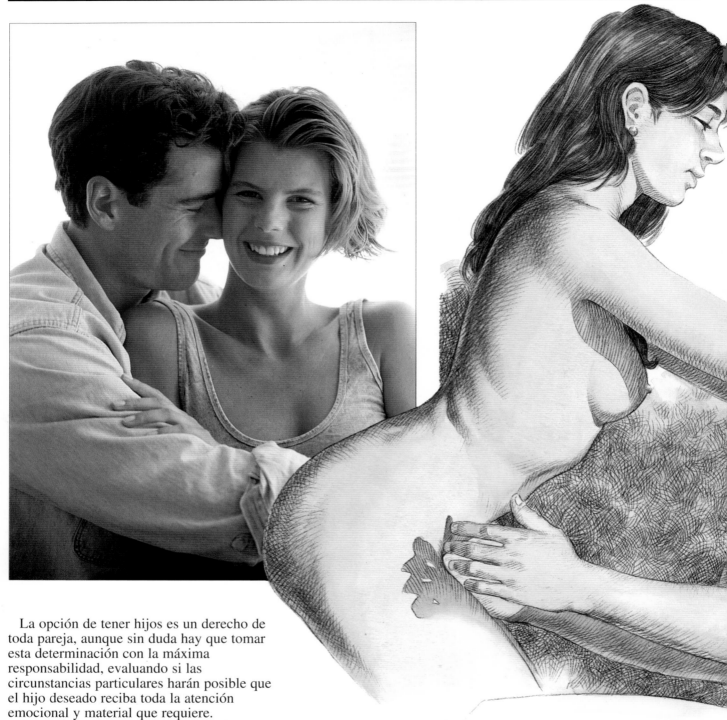

La opción de tener hijos es un derecho de toda pareja, aunque sin duda hay que tomar esta determinación con la máxima responsabilidad, evaluando si las circunstancias particulares harán posible que el hijo deseado reciba toda la atención emocional y material que requiere.

Para conseguir un embarazo, el único requisito básico es mantener relaciones sexuales que incluyan el coito vaginal en el período fértil del ciclo sexual femenino, pese a que es habitual que para ello sean necesarios unos cuantos intentos.

Actualmente hay diversos métodos que permiten una planificación familiar. Así se llama el conjunto de medidas que puede adoptar una pareja para intentar tener el número de hijos que consideren adecuado y de forma que la gestación y el nacimiento de cada uno de ellos se produzca cuando lo

En el gráfico, puede observarse el período fértil del ciclo sexual de la mujer, que incluye los días anteriores así como los posteriores a la ovulación.

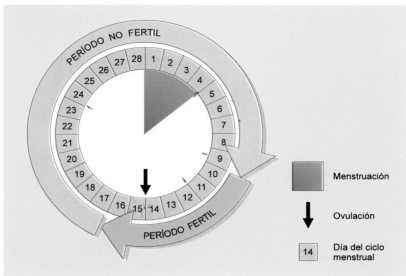

PERÍODO NO FERTIL

PERÍODO FERTIL

Menstruación

Ovulación

14 · Día del ciclo menstrual

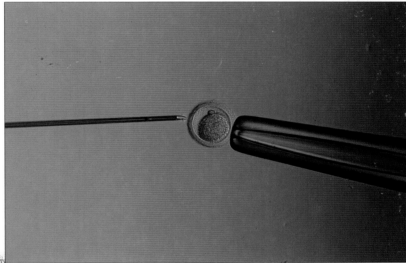

crean oportuno. En este concepto se incluyen, de un lado, las técnicas de anticoncepción destinadas a evitar los embarazos casuales y, de otro, las que permiten que muchas parejas con dificultades para conseguir un embarazo vean cumplido su deseo.

Hoy en día, disponemos de diversas técnicas de reproducción asistida que en muchos casos permiten la consecución de un embarazo a parejas con imposibilidad para conseguir este objetivo mediante la práctica de relaciones sexuales normales, trastorno llamado esterilidad.

La inseminación artificial consiste en la obtención de una muestra de semen -procedente de la pareja o de un donante- y su posterior introducción, mediante un dispositivo especial, en el interior del útero de la mujer.

La fecundación in vitro se basa en conseguir la unión del espermatozoide y del óvulo en el laboratorio (fotografía superior), y la posterior transferencia del incipiente embrión en el útero de la mujer, donde se implantará y dará lugar a un embarazo.

El comienzo de una nueva vida

El embarazo comienza con el encuentro y la unión de dos células especiales: el espermatozoide, proveniente del padre, y el óvulo, procedente de la madre.

En condiciones naturales, este proceso, la fecundación, se produce después de un coito vaginal efectuado en la época de la ovulación. Los espermatozoides dipositados en la vagina, después de atravesar la cavidad uterina y de internarse en las trompas de Falopio, se encuentran con el óvulo, y esto da lugar a los acontecimientos que se esquematizan en el dibujo.

El óvulo, que se ha desprendido del ovario hacia la mitad del ciclo sexual, es captado por la trompa de Falopio (1), a través de la que avanza en dirección al útero. A nivel del tercio externo de la trompa, se produce el encuentro del óvulo con los espermatozoides, uno de los cuales penetra en su interior (2) y da lugar a la formación de una gran célula huevo o zigoto (3) que constituye el inicio del nuevo ser.

En su avance ininterrumpido por la trompa hacia el útero, la célula huevo experimenta diversas divisiones que darán paso a la formación de un embrión. Así, a las 30 horas de la fecundación se produce una división del zigoto que da lugar a dos células (4); unas horas más tarde, se produce una segunda división, con la formación de cuatro células (5), que sucesivamente se convertirán en ocho, dieciséis, etc. (6, 7).

Dado que con cada división las células resultantes son más pequeñas, se forma progresivamente un conglomerado de diminutos elementos celulares o blastómeros que adquiere un aspecto semejante al de una mora; por eso se llama mórula (8).

Pasados ya cuatro días de la fecundación, la mórula llega a la cavidad uterina y poco después se produce una transformación fundamental, ya que en su interior comienza a acumularse un líquido que desplaza las células hacia un extremo, lo cual da lugar a la formación de una blástula o blastocisto (9).

Hacia el sexto día, el blastocisto se adosa a la mucosa que recubre la pared interna de nidación (10). A partir de este momento, parte de las células constituirán el embrión y otras formarán las estructuras que brindarán nutrición y protección al futuro ser durante el resto del embarazo.

Las fotos de estas dos páginas ilustran los momentos más importantes del comienzo del embarazo: A, imagen microscópica del desprendimiento del óvulo del ovario, u ovulación; B, óvulo rodeado por multitud de espermatozoides; C, momento de la fecundación, cuando el espermatozoide penetra a través de la pared del óvulo; D, célula huevo o zigoto, con el material cromosómico de

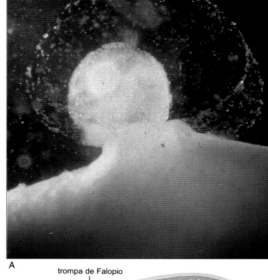

A

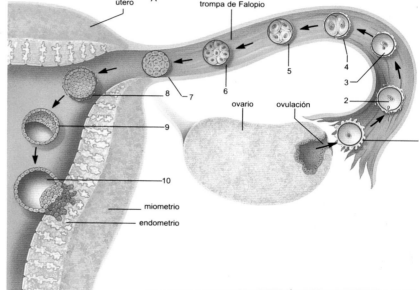

útero — trompa de Falopio — ovario — ovulación — miometrio — endometrio

ambos gametos; E, imagen del resultado de la primera división de la célula huevo; F, embrión incipiente de cuatro células; G, embrión de ocho células; H, mórula, hacia los cuatro o cinco días después de la fecundación.

F

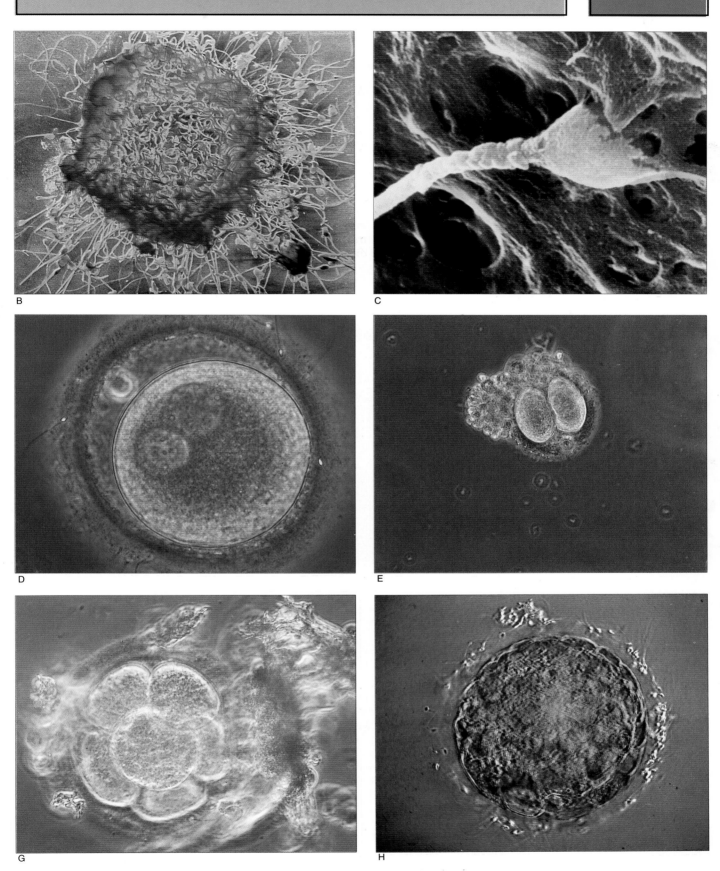

B

C

D

E

G

H

23

Diagnóstico del embarazo

Algunas mujeres, especialmente si antes ya han estado embarazadas, notan una sensación especial al inicio de la gestación, lo que, juntamente con la ausencia de la regla y la aparición de unos síntomas físicos característicos, sugieren el diagnóstico del nuevo estado.

Desde la implantación de la célula huevo dentro del útero, comienzan a producirse en el organismo femenino un cambios que sugieren el diagnóstico del embarazo.

La placenta incipiente comienza a secretar la hormona gonadótropa coriónica o HGC, que actúa sobre el ovario y hace que se mantenga la elaboración de progesterona, que a su vez impide la descamación de la mucosa uterina y da lugar a la falta de la regla, que, aunque puede tener otras causas, en toda mujer fértil que mantenga

La confirmación definitiva del embarazo se consigue mediante la ecografía, prueba que permite identificar al pequeño embrión en el interior del útero.

relaciones sexuales siempre conduce a pensar en un posible embarazo. Al mismo tiempo, se pueden presentar otros síntomas, que se encuentran resumidos en el cuadro de la página siguiente, y que son el resultado de la acción hormonal sobre el organismo.

Para diagnosticar el comienzo de la gestación se pueden practicar algunas pruebas que se basan en la detección de la HGC en la orina o en la sangre de la mujer. Algunos métodos muy sencillos que la

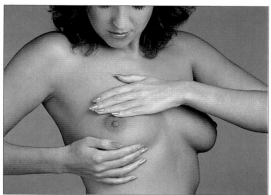

Los primeros síntomas

La primera señal característica del inicio del embarazo corresponde a la falta de la regla, aunque generalmente la mujer presenta uno o más de los síntomas referidos a continuación:

* Náuseas matinales, a veces acompañadas de vómitos.

* Mareos y sensación de desvanecimiento.

* Cansancio y sueño.

* Aumento de salivación.

* Estreñimiento.

* Flatulencia.

* Distensión abdominal.

* Inapetencia.

* Aversión a determinados sabores y olores.

* Aumento del volumen de las mamas, con incremento de la sensibilidad de los pechos y de los pezones.

* Deseo frecuente de orinar.

* Incremento de las secreciones vaginales.

mujer puede efectuar por su cuenta, mediante un equipo que se vende en la farmacia, con una muestra de su orina, dan resultados bastante fiables incluso desde los días anteriores a la fecha prevista para la siguiente regla. Otros métodos, aún más precisos, se basan en técnicas de laboratorio que permiten determinar con exactitud la concentración de HGC en la sangre de la mujer gestante.

Por otro lado, un examen médico efectuado pasadas dos semanas de la fecha en que se tenía que presentar la regla

Las pruebas caseras del embarazo son sencillas de realizar y, si se respetan las instrucciones usuales, brindan resultados muy fiables: en el 95% de los casos en que dan resultado positivo, la mujer efectivamente está embarazada.

permite descubrir unas señales típicas, como son cambios de aspecto de la mucosa de la vulva, la vagina y el cuello uterino, o un reblandecimiento del cuello del útero detectado mediante una palpación a través de la vagina.

La confirmación definitiva se puede conseguir con una prueba sencilla e inocua, la ecografía, mediante la cual se obtienen imágenes de las estructuras gestacionales presentes en el útero al cabo de cuatro o cinco semanas de la última regla.

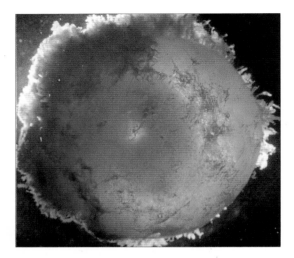

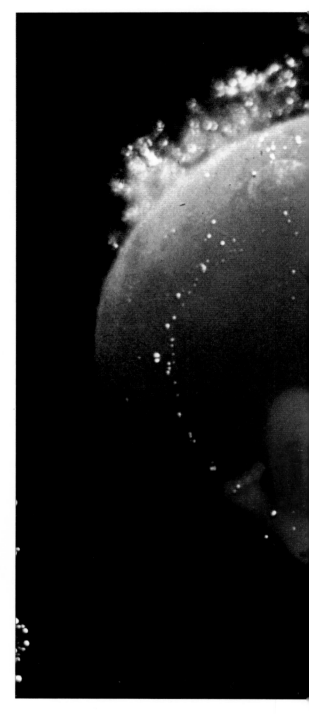

A la izquierda y arriba se observa la imagen externa del saco amniótico que contiene en su interior un embrión de cuatro semanas de gestación.

A la izquierda y en el centro, embrión de cuatro semanas de desarrollo, que mide unos 4-5 mm y no llega a 1 g de peso.

A la izquierda y abajo, embrión de cinco semanas de desarrollo, en que se puede observar la prominencia de la cabeza, mucho más grande proporcionalmente que el resto y donde destaca el esbozo de los ojos.

A la derecha, feto de diez semanas de desarrollo, en el interior del saco amniótico. Presenta ya una forma claramente humana, y se puede distinguir la cabeza redondeada, el tronco y las extremidades, con los dedos bien diferenciados tanto en los pies como en las manos.

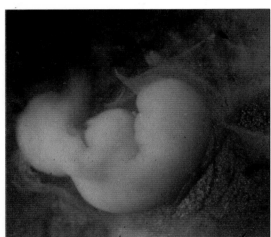

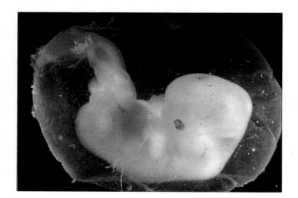

A partir de la implantación en la pared uterina, las células que forman el huevo experimentan una notoria diferenciación, ya que unas pasan a constituir el feto —que hasta el tercer mes se llama embrión—, mientras que algunas dan lugar al desarrollo del saco amniótico en cuyo interior se alojará el nuevo ser y otras originan las vellosidades coriónicas y posteriormente la placenta, que mediante el cordón umbilical posibilita el intercambio de sustancias entre la sangre de la madre y el hijo.

Al final del primer mes, el embrión apenas tiene el tamaño de un grano de arroz y un peso inferior a un gramo, pero ya se han formado algunas estructuras orgánicas

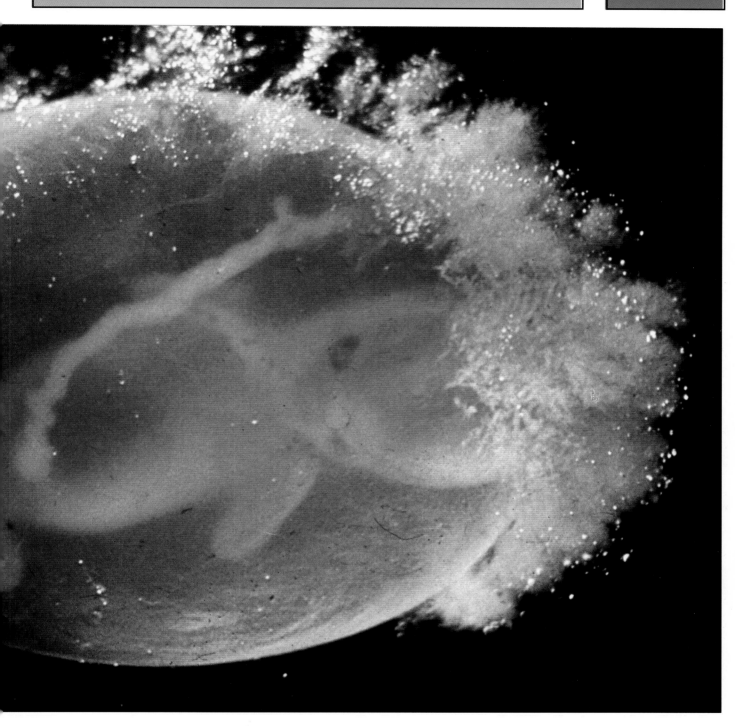

muy importantes. En un extremo presenta una prominencia de la que derivará la cabeza, se han diferenciado los tejidos que constituyen el esbozo del sistema nervioso y del sistema circulatorio, e incluso ya se ha formado el corazón, que empieza a latir.

En el segundo mes, el crecimiento se acelera. El embrión adopta la forma de un renacuajo, con una gran cabeza en cuyo interior crece el cerebro y en su parte exterior se pueden observar ya los orificios de la boca, la nariz, los oídos y los ojos. En el tronco aparecen unas pequeñas yemas que darán lugar al crecimiento de las extremidades, a la vez que se constituyen prácticamente todos los órganos internos.

27

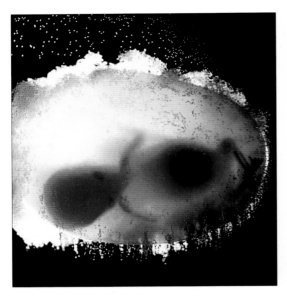

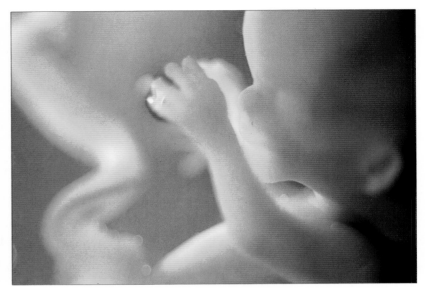

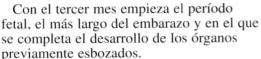

Con el tercer mes empieza el período fetal, el más largo del embarazo y en el que se completa el desarrollo de los órganos previamente esbozados.

En el tercer mes, el feto ya adquiere una forma definitivamente humana. En la cara se empiezan a distinguir las facciones, con los ojos cubiertos por los párpados, los oídos, la nariz y la boca. Se acaban de formar las extremidades, con la diferenciación de los dedos de las manos y los pies. Los órganos internos ya funcionan sin parar: el corazón late e impulsa la sangre por todo el cuerpo a través de los vasos del sistema circulatorio, el tubo digestivo absorbe el líquido amniótico que el feto traga, los riñones elaboran orina... Al final de este mes el feto ya mide de 9 a 10 cm y pesa unos 15-20 g.

En el cuarto mes, continúa el desarrollo con rapidez. En la cabeza, los oídos consiguen ya su situación definitiva, los ojos son aún proporcionalmente grandes y se encuentran muy separados, la boca también es grande y el mentón todavía muy pequeño. Ya se han diferenciado las gónadas según el sexo fetal, y los genitales están bien desarrollados. La piel fina se va recubriendo de lanugen, una pelusilla fina que se extenderá por todo el cuerpo. Los movimientos del feto se van haciendo progresivamente más activos, y pueden ser percibidos por la madre. Al final de este mes, el feto mide unos 16 cm de longitud y pesa unos 150 g.

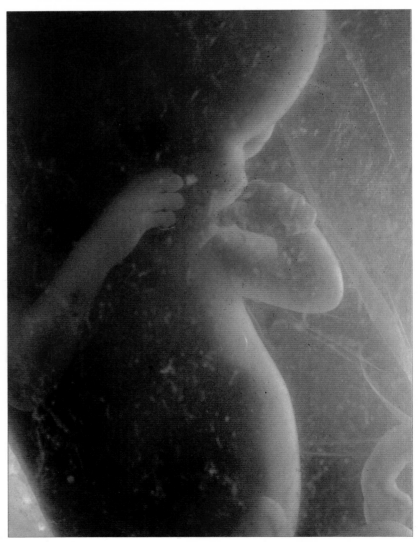

En la foto de la izquierda, feto de once semanas de desarrollo en el interior del saco gestacional, flotando en el líquido amniótico, donde ya empieza a efectuar movimientos a pesar de que la madre todavía no los percibe. Mide ya unos 9 cm de largo y pesa unos 15 g.

En las fotos del centro, detalles de feto de doce semanas, en los que se pueden distinguir las facciones del rostro y las manos con todos los dedos individualizados, en los que pronto aparecerán las uñas y se formarán las huellas dactilares.

A la derecha, fotografía de un feto de catorce semanas de desarrollo, en donde se observan claramente los ojos grandes y aún muy separados, así como los brazos y las manos bien formadas. Hace ya movimientos activos, que a veces pueden ser percibidos por la madre: da puntapiés, dobla los dedos de las manos y de los pies, cierra los puños e incluso frunce el ceño.

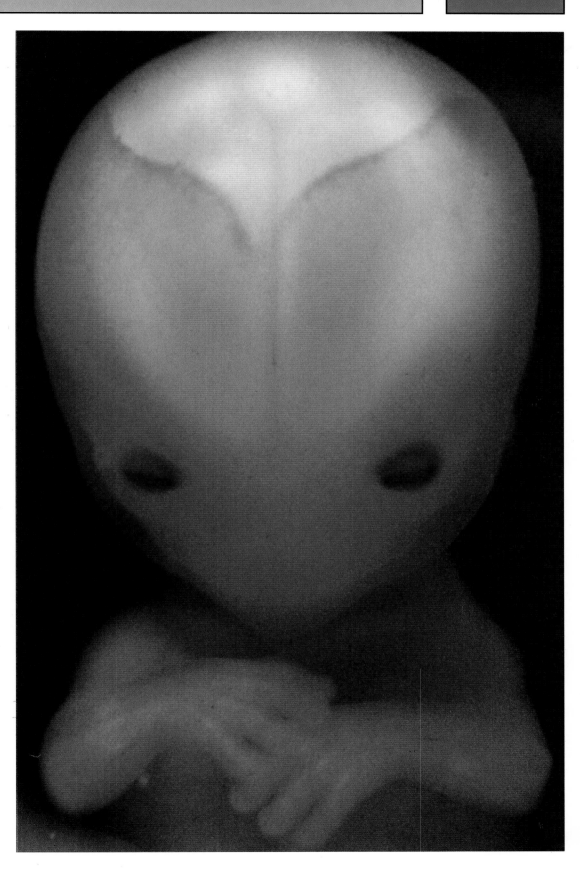

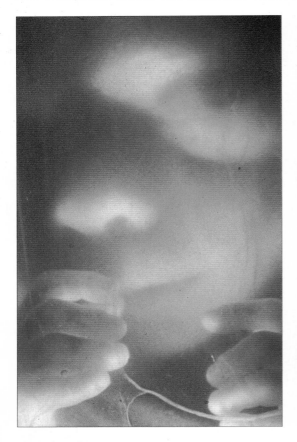

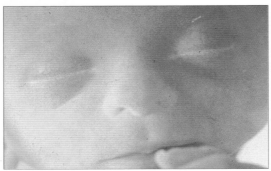

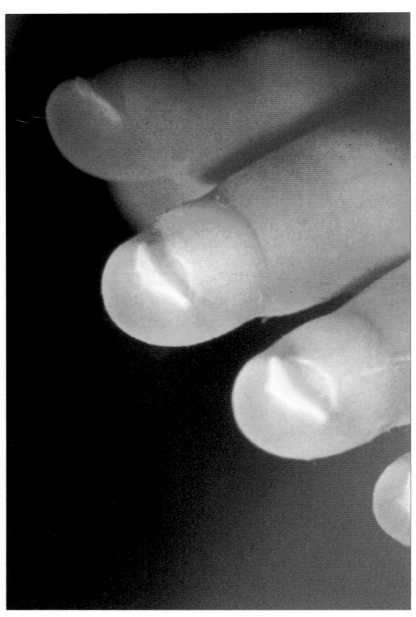

El quinto mes es una época de maduración y de perfeccionamiento funcional de los órganos; cuando termina, el feto ya mide unos 25 cm de largo y pesa unos 250 g. Los movimientos son cada vez más nítidos, ya que en el intervalo de períodos de sueño intercala otros de plena actividad, agita y mueve los brazos y las piernas, e incluso a veces se mete el dedo gordo en la boca y lo succiona. En algunas zonas del cuerpo el lanugen es sustituido por pelo, que adquiere ya el color que le corresponde por herencia.

En el transcurso del sexto mes, el feto alcanza prácticamente todas sus

En las fotos de esta página, detalles de un feto de cinco meses, cuyo organismo está ya totalmente formado aunque algunos órganos tienen que madurar para que sea posible una vida autónoma fuera del útero materno.

características definitivas, por más que todavía no podría vivir fuera del útero porque le falta la maduración de algunos órganos, especialmente la de los pulmones. El cuerpo del feto, que ya pesa unos 900 g y mide unos 32 cm de largo, se recubre de una sustancia cremosa que se llama *vernix caseosa*, que lo aísla y lo protege del líquido amniótico en el que se encuentra sumergido.

Durante el séptimo mes, el feto alcanza ya un peso de 1.100—1.200 g y una longitud de 40 cm. Los sentidos ya han evolucionado notablemente: puede percibir el resplandor de una luz que ilumine directamente el

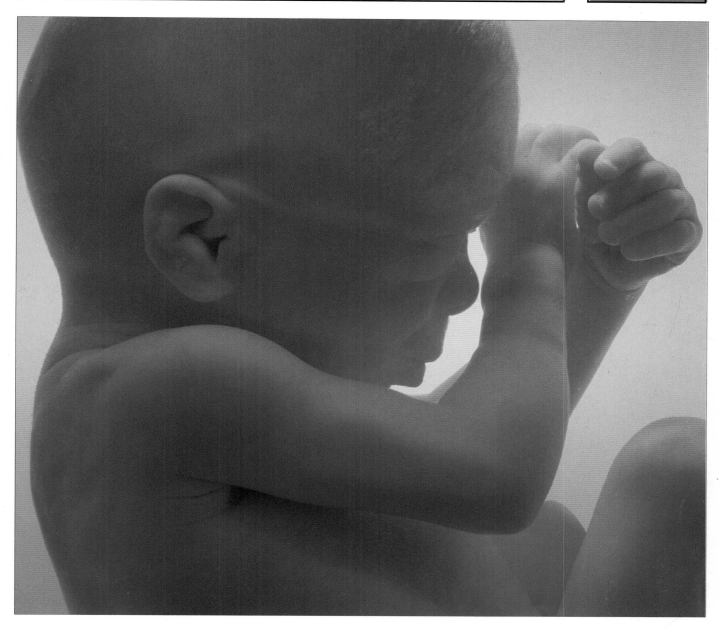

abdomen de la madre y distinguir el sonido
rítmico de la sangre que circula por
las arterias de la madre, e incluso puede
diferenciar el sabor dulce del amargo.

Para que pueda llevar una vida autónoma
todavía falta que en los pulmones se forme
la sustancia tensoactiva que permita su
adecuada expansión cuando respire, y que la
piel se recubra con una capa grasienta que le
permita conservar el calor en el medio
externo; pero de hecho, con la asistencia
adecuada, el feto posiblemente sobrevivirá
si nace prematuramente en esta época.

En el octavo mes, el feto pesa entre 2.200

*Feto de cinco meses
de desarrollo, en la
posición típica de
reposo de los
miembros, que agita
ya con fuerza
aprovechando los
momentos en que su
madre descansa y se
encuentra sometido a
menos presiones
exteriores.*

y 2.600 g, y mide un poco menos de 50 cm
de largo. Su organismo se encuentra ya en
condiciones de pasar de la vida intrauterina
a la extrauterina: si nace en esta época, las
posibilidades de sobrevivir son excelentes.

En el noveno mes, el organismo fetal se va
perfeccionando. Se acelera el desarrollo de
los huesos, la piel se hace más gruesa, los
genitales adquieren sus características
definitivas, los reflejos nerviosos básicos se
hacen más finos... Por término medio, el feto
alcanza un peso de 3.000 a 3.500 g y una
longitud de 50 cm o incluso un poco más:
está ya completamente a punto para nacer.

31

Embarazo múltiple

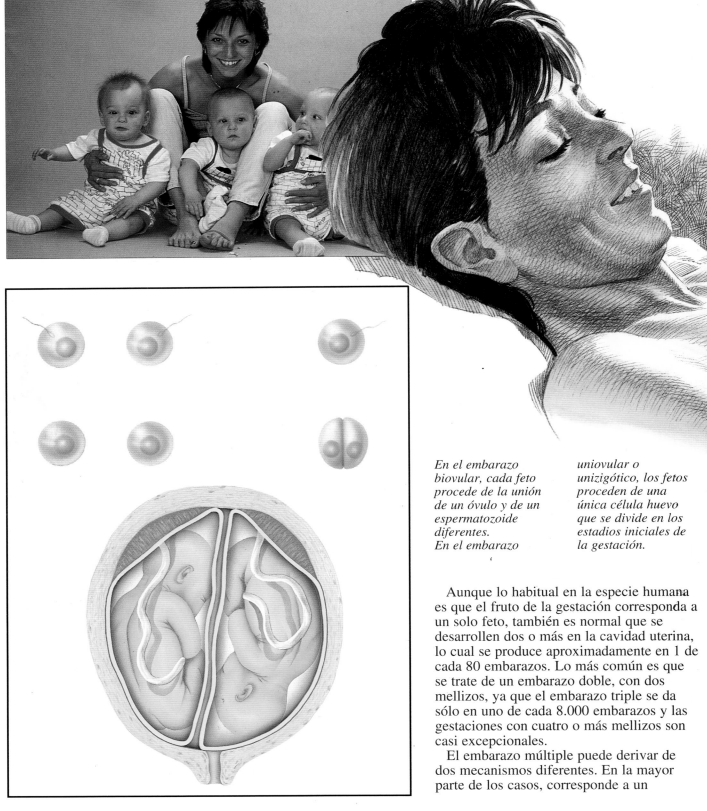

*En el embarazo biovular, cada feto procede de la unión de un óvulo y de un espermatozoide diferentes.
En el embarazo* *uniovular o unizigótico, los fetos proceden de una única célula huevo que se divide en los estadios iniciales de la gestación.*

Aunque lo habitual en la especie humana es que el fruto de la gestación corresponda a un solo feto, también es normal que se desarrollen dos o más en la cavidad uterina, lo cual se produce aproximadamente en 1 de cada 80 embarazos. Lo más común es que se trate de un embarazo doble, con dos mellizos, ya que el embarazo triple se da sólo en uno de cada 8.000 embarazos y las gestaciones con cuatro o más mellizos son casi excepcionales.

El embarazo múltiple puede derivar de dos mecanismos diferentes. En la mayor parte de los casos, corresponde a un

Radiografía que ha sido coloreada artificialmente en la que se puede distinguir la estructura de dos fetos diferentes, con la cabeza (situada en la parte inferior, entre los huesos de la pelvis materna) y la columna vertebral.

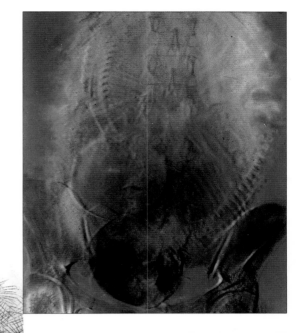

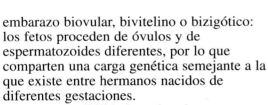

embarazo biovular, bivitelino o bizigótico: los fetos proceden de óvulos y de espermatozoides diferentes, por lo que comparten una carga genética semejante a la que existe entre hermanos nacidos de diferentes gestaciones.

La otra posibilidad es el embarazo uniovular, univitelino o unizigótico: los fetos proceden de la misma célula huevo, producto de la unión de un solo óvulo y un único espermatozoide, que en el estadio germinativo se divide en diferentes porciones de las que derivan embriones que tienen la misma carga genética y que,

La evolución del embarazo múltiple es semejante a la del embarazo simple, si bien es posible que los trastornos propios de la gestación se presenten con más intensidad. Hay que vigilar con atención la dieta, llevar a cabo un descanso suficiente y moderar la actividad cuando se acerca el parto.

por lo tanto, serán mellizos idénticos.

Habitualmente, el embarazo se desarrolla con normalidad, aunque es cierto que los trastornos propios de la gestación suelen ser más intensos y existe un riesgo superior de complicaciones, cosa que exige un estricto control médico.

El parto acostumbra a adelantarse unas tres semanas, y los recién nacidos pesan por término medio unos 2.500 g.

Control médico del embarazo

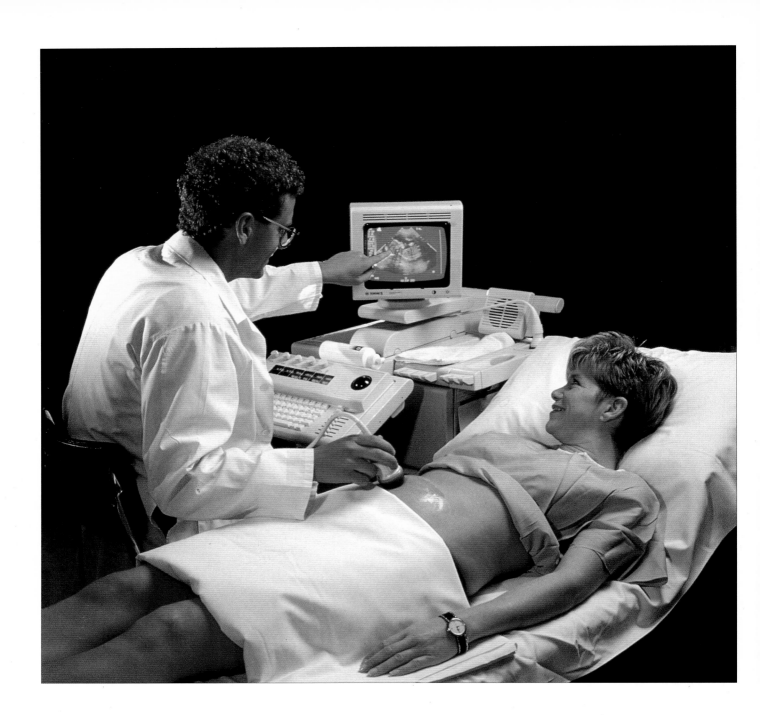

La mayor parte de los embarazos evolucionan con absoluta normalidad, sin que en su decurso aparezcan problemas significativos, y terminan felizmente con el nacimiento de un niño sano y sin que las profundas transformaciones ocurridas en el organismo femenino durante el proceso sean una fuente de trastornos o de secuelas relevantes para la madre. Sin embargo, desgraciadamente, no siempre ocurre así, y en estos casos tanto el producto de la gestación como la madre pueden sufrir alteraciones de diversa gravedad. Esto es bien sabido por todo el mundo, ya que a lo largo de la historia el embarazo siempre se ha asociado con un cierto riesgo de complicaciones fetales y maternas, constituyendo una auténtica fuente de peligros para la madre y para el niño. Por esto, teniendo en cuenta que lo que hemos dicho es una realidad contrastada por la experiencia, se impone la necesidad de no dejar esta circunstancia al azar, y la mejor manera de hacerlo es procediendo a un control de todo el proceso de la gestación, como hoy en día y en nuestro medio es habitual.

Los medios humanos y técnicos disponibles en la actualidad, fruto de una preocupación constante de la medicina y de toda la sociedad por este tema, permiten que, realizando un control adecuado, el desarrollo normal del embarazo quede asegurado en la inmensa mayoría de los casos. Las estadísticas demuestran que en los últimos tiempos, desde que el control médico del embarazo es una práctica rutinaria, el índice de mortalidad fetal se ha reducido notablemente, y la mortalidad materna durante la gestación o el parto, antiguamente nada extraña, hoy en día es mínima, casi excepcional.

En realidad, el control médico del embarazo no es una cuestión compleja que modifique en absoluto la evolución de la gestación, que es un proceso fisiológico y que tiende a desarrollarse con normalidad. Podría afirmarse que en un elevado porcentaje de los casos, el control del embarazo se limita a un asesoramiento por parte de los especialistas a los futuros padres y a la constatación, mediante exploraciones simples y procedimientos sencillos, de que todo marcha bien. En primera instancia puede parecer que en estas ocasiones el control no sería realmente necesario, que aun prescindiendo de las visitas al médico todo iría bien; pero esta conclusión es precipitada: las indicaciones de los facultativos, sus consejos y advertencias, son de una inestimable importancia y por sí mismos justifican las visitas; los exámenes y estudios que se practican, incluso los más sencillos, son muy eficaces para darse cuenta de buena parte de las desviaciones de la normalidad que pueden corregirse y evitar así problemas que más adelante se lamentarían. Vale la pena profundizar en estas cuestiones, puesto que la verdad es que muchas parejas, en especial las que se enfrentan a un primer embarazo, no tienen una idea precisa de las características y conveniencias de mantener un control regular durante todo el proceso.

Por lo que respecta a la información que reciben la mujer embarazada y el futuro padre, y que de alguna forma les condiciona, hay que tener en cuenta que a partir del momento en que se confirme el diagnóstico y la noticia sea comunicada a los familiares, amigos, compañeros de trabajo, vecinos o conocidos, es prácticamente seguro que muchos de ellos les comentarán las propias experiencias o las de terceros, al mismo tiempo que les darán todo tipo de consejos. Lamentablemente, la gente tiende a destacar lo negativo, y no es nada extraño que se cuenten casos de embarazos en los que algo ha ido mal o en los que han surgido problemas por todos lados. Y, aunque los comentarios y las fórmulas para resolver eventuales problemas sean brindados con la mejor intención, esto no significa que sean realmente acertados; a veces pueden inducir a actuaciones erróneas que no benefician al normal desarrollo del embarazo o que incluso lo perjudican. En esta etapa de la vida, en que entran en juego la salud de la gestante y la del futuro niño, la información que se consiga tiene que ser absolutamente veraz, de fuente fidedigna; los consejos tienen que tener en cuenta la situación particular de cada caso y consiguientemente, sin duda alguna, lo adecuado es prestar atención a las medidas indicadas por los especialistas. No es de extrañar que éste sea uno de los primeros consejos que dé el médico tan pronto como se confirme el embarazo.

Es muy importante que la mujer vaya al médico enseguida que sospecha un embarazo, sin demorar la primera consulta, aunque lo haya confirmado mediante una prueba casera. Cuanto más pronto se inicie el control, mejor, porque así se podrán determinar los parámetros basales con que después se harán las oportunas comparaciones a fin de comprobar la necesidad de introducir correcciones. Así, por ejemplo, conviene que los datos que permitirán controlar la evolución del aumento de peso o de la tensión arterial se obtengan al principio del proceso, cuando prácticamente todavía no han experimentado modificaciones como resultado del desarrollo de la gestación. Y también es muy importante proceder a un estudio completo del estado de salud de la mujer, aunque no presente alteraciones conocidas, ya que pueden descubrirse algunas circunstancias hasta entonces inadvertidas que convenga corregir o que exijan adoptar alguna precaución. Las exploraciones y pruebas iniciales establecerán las bases para planificar las pautas del control.

Por otra parte, es fundamental que en la primera etapa de la gestación se adopten medidas de precaución que tiendan a evitar la exposición a factores que perturben su desarrollo y den lugar a problemas que se pondrán de manifiesto más adelante. El especialista explicará todo aquello que hay que tener en cuenta con esta finalidad, por ejemplo en relación a la administración de medicinas que se tomen por alguna otra causa, a la práctica de radiografías o de otros estudios que pueden resultar perjudiciales, a las medidas oportunas para prevenir el contagio de infecciones peligrosas para el futuro niño, etc. Un control que empiece pronto es la mejor fórmula para tener la seguridad de que no se cometerán imprudencias por falta de conocimientos, que no queden cabos sueltos que más adelante pueden ser fuente de disgustos.

Las visitas de control, pautadas con una frecuencia de acuerdo con las necesidades y conveniencias de cada caso, suelen ser muy sencillas. Se basan en el diálogo, las exploraciones físicas y la práctica de algunas pruebas complementarias de rutina. Generalmente, se limitan a registrar las modificaciones ocurridas en los parámetros que permiten evaluar la evolución del proceso, constatar que no hay problemas y brindar los consejos oportunos en función de cada etapa del embarazo y de los datos obtenidos.

Cada consulta constituye un momento idóneo para que la mujer aclare todas sus dudas acerca de lo que puede o no puede hacer en su vida cotidiana, a la normalidad de lo que le está sucediendo o a las molestias que puede experimentar. Como se verá más adelante, a pesar de que la gestación es un proceso fisiológico, es habitual que conlleve ciertas molestias a la gestante, y las visitas de control brindan la oportunidad para que el especialista explique el origen así como las medidas adecuadas para aligerarlas, y para que constate que en realidad no son debidas a ninguna complicación que implique la necesidad de adoptar un tratamiento específico para corregirla o para detener su evolución.

Los exámenes practicados y las pruebas solicitadas en las visitas, cuya planificación se basa en la experiencia acumulada en este terreno a lo largo del tiempo, suelen ser muy eficaces para constatar que todo marcha bien o para advertir cualquier indicio de anormalidad que sugiera la conveniencia de profundizar en el estudio. Generalmente corresponden a una exploración física general, con especial atención a la esfera genital y a los pechos, completada con análisis de sangre y de orina, así como con alguna ecografía, estudio que en la actualidad se ha convertido en una pieza clave del seguimiento del embarazo.

Sin embargo, no es raro que a veces se solicite algún procedimiento más complejo, ya que esta conducta se impone ante la mínima sospecha que nos podamos encontrar ante el desarrollo de algún trastorno. Hoy en día se cuenta con técnicas precisas, algunas muy sofisticadas, que pueden detectar alteraciones que hace solamente unos años solían pasar inadvertidas mientras evolucionaban negativamente. Por esto no hay que extrañarse que los especialistas quieran aprovechar todas las posibilidades modernas. Así, por ejemplo, es posible que se practique una punción que permita obtener una muestra de líquido amniótico donde flota el futuro niño u otras técnicas mediante las cuales se pueden realizar análisis muy diversos, que incluyen estudios cromosómicos. Pero esto no tiene que ser motivo de preocupación injustificada, puesto que muchas veces se trata de pruebas solicitadas por mera precaución y que generalmente sirven para descartar problemas y no para confirmarlos. En este sentido, hay que tener presente que un embarazo nunca es igual a otro, y que la experiencia particular de un caso no es equiparable a la de otro. Así pues, la solicitud de uno u otro procedimiento no siempre significa lo mismo, y hay que hablarlo con el especialista, consultando el motivo de la indicación, que muchas veces no tiene como base la constancia de un trastorno grave, así como las molestias y riesgos que puede implicar, para saber a qué atenerse en cada caso con suficiente información.

Es cierto que a veces las visitas de control ponen de manifiesto una desviación de la normalidad y que, en consecuencia, los estudios practicados revelan que efectivamente existe algún problema. Pero hay que considerar que esto puede ser extraordinariamente útil en aquellos casos en que el trastorno advertido puede beneficiarse de un tratamiento corrector. En la actualidad, se cuenta no solo con avances diagnósticos sino también con progresos terapéuticos, algunos de ellos de aplicación sencilla y otros, incluso, muy sofisticados, como puede llegar a ser, por poner como ejemplo un caso extremo, la práctica de una intervención quirúrgica en el feto antes de su nacimiento. En todo caso, siempre que se desarrolla algún problema el ideal es descubrirlo tan precozmente como sea posible, y en este sentido la mejor fórmula de actuación es llevar un control periódico de todo el proceso, vigilando atentamente el estado de salud de la madre y del futuro niño.

Hay quien piensa que en la actualidad el embarazo está sometido a una excesiva medicalización y que cabría respetar más la evolución natural. Pero es probable que esta opinión no se base en un conocimiento real de aquello que constituye el control médico del embarazo, cuya máxima utilidad es vigilar que el proceso de gestación se desarrolle naturalmente pero sin problemas, precisamente para poder prevenir eventuales trastornos o para que si se producen como consecuencia de la propia evolución natural, puedan ser advertidos precozmente y se pueda intentar su solución. La experiencia acumulada en los últimos tiempos, a medida que el control del embarazo se ha ido extendiendo y convirtiendo en una práctica rutinaria, lo confirma, constatando que su resultado es un avance importante en los índices de salud infantil y maternal.

Primera visita al médico

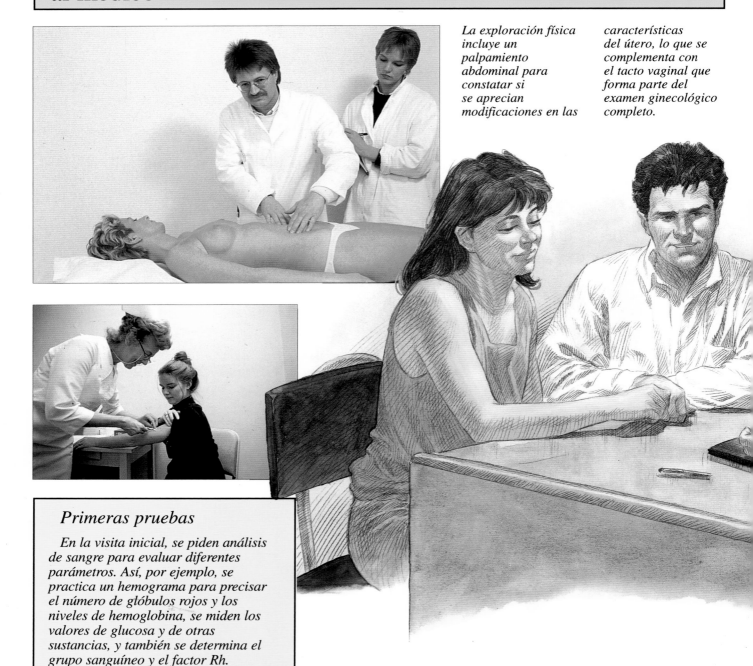

La exploración física incluye un palpamiento abdominal para constatar si se aprecian modificaciones en las características del útero, lo que se complementa con el tacto vaginal que forma parte del examen ginecológico completo.

Primeras pruebas

En la visita inicial, se piden análisis de sangre para evaluar diferentes parámetros. Así, por ejemplo, se practica un hemograma para precisar el número de glóbulos rojos y los niveles de hemoglobina, se miden los valores de glucosa y de otras sustancias, y también se determina el grupo sanguíneo y el factor Rh. Además, se realizan pruebas serológicas para establecer el grado de inmunidad de la mujer frente a infecciones como la sífilis, rubeola o toxoplasmosis.

También se practica un análisis de orina completo, para obtener unos datos basales y poder comparar algunos parámetros en los futuros controles.

Generalmente, se solicita una ecografía, en donde ya se podrá apreciar el embrión.

Conviene que la primera visita se haga sin demora, a partir de la segunda semana desde la falta de la menstruación y antes de la cuarta. En el primer encuentro, el médico procede a un interrogatorio minucioso para conocer los antecedentes personales y familiares de la mujer, practica una revisión física completa y solicita diversas pruebas, a fin de confirmar el diagnóstico, de evaluar el estado de la mujer y de establecer las bases para el posterior seguimiento.

La tabla adjunta permite calcular la fecha probable del parto, teniendo en cuenta que la duración media aproximada del embarazo es de 266 días desde el momento de la fecundación o, lo que es lo mismo, 280 días a partir de la última regla.

Para utilizar la tabla, se parte de la fecha de la última menstruación. La fecha probable del parto corresponde a la intersección del día (columna de la izquierda) y el mes (hilera superior) del primer día de la última regla. Esta fecha es aproximada, ya que la duración del embarazo varía y el parto se puede producir en las cuatro semanas anteriores o en las dos siguientes.

FECHA PROBABLE DEL PARTO	Fecha de la última regla (MES)											
Fecha de la última regla (DIA)	ENE	FEB	MAR	ABR	MAY	JUN	JUL	AGO	SET	OCT	NOV	DIC
1	8 oct	8 nov	6 dic	6 ene	5 feb	8 mar	7 abr	8 may	8 jun	8 jul	8 ago	7 set
2	9 oct	9 nov	7 dic	7 ene	6 feb	9 mar	8 abr	9 may	9 jun	9 jul	9 ago	8 set
3	10 oct	10 nov	8 dic	8 ene	7 feb	10 mar	9 abr	10 may	10 jun	10 jul	10 ago	9 set
4	11 oct	11 nov	9 dic	9 ene	8 feb	11 mar	10 abr	11 may	11 jun	11 jul	11 ago	10 set
5	12 oct	12 nov	10 dic	10 ene	9 feb	12 mar	11 abr	12 may	12 jun	12 jul	12 ago	11 set
6	13 oct	13 nov	11 dic	11 ene	10 feb	13 mar	12 abr	13 may	13 jun	13 jul	13 ago	12 set
7	14 oct	14 nov	12 dic	12 ene	11 feb	14 mar	13 abr	14 may	14 jun	14 jul	14 ago	13 set
8	15 oct	15 nov	13 dic	13 ene	12 feb	15 mar	14 abr	15 may	15 jun	15 jul	15 ago	14 set
9	16 oct	16 nov	14 dic	14 ene	13 feb	16 mar	15 abr	16 may	16 jun	16 jul	16 ago	15 set
10	17 oct	17 nov	15 dic	15 ene	14 feb	17 mar	16 abr	17 may	17 jun	17 jul	17 ago	16 set
11	18 oct	18 nov	16 dic	16 ene	15 feb	18 mar	17 abr	18 may	18 jun	18 jul	18 ago	17 set
12	19 oct	19 nov	17 dic	17 ene	16 feb	19 mar	18 abr	19 may	19 jun	19 jul	19 ago	18 set
13	20 oct	20 nov	18 dic	18 ene	17 feb	20 mar	19 abr	20 may	20 jun	20 jul	20 ago	19 set
14	21 oct	21 nov	19 dic	19 ene	18 feb	21 mar	20 abr	21 may	21 jun	21 jul	21 ago	20 set
15	22 oct	22 nov	20 dic	20 ene	19 feb	22 mar	21 abr	22 may	22 jun	22 jul	22 ago	21 set
16	23 oct	23 nov	21 dic	21 ene	20 feb	23 mar	22 abr	23 may	23 jun	23 jul	23 ago	22 set
17	24 oct	24 nov	22 dic	22 ene	21 feb	24 mar	23 abr	24 may	24 jun	24 jul	24 ago	23 set
18	25 oct	25 nov	23 dic	23 ene	22 feb	25 mar	24 abr	25 may	25 jun	25 jul	25 ago	24 set
19	26 oct	26 nov	24 dic	24 ene	23 feb	26 mar	25 abr	26 may	26 jun	26 jul	26 ago	25 set
20	27 oct	27 nov	25 dic	25 ene	24 feb	27 mar	26 abr	27 may	27 jun	27 jul	27 ago	26 set
21	28 oct	28 nov	26 dic	26 ene	25 feb	28 mar	27 abr	28 may	28 jun	28 jul	28 ago	27 set
22	29 oct	29 nov	27 dic	27 ene	26 feb	29 mar	28 abr	29 may	29 jun	29 jul	29 ago	28 set
23	30 oct	30 nov	28 dic	28 ene	27 feb	30 mar	29 abr	30 may	30 jun	30 jul	30 ago	29 set
24	31 oct	1 dic	29 dic	29 ene	28 feb	31 mar	30 abr	31 may	1 jun	31 jul	31 ago	30 set
25	1 nov	2 dic	30 dic	30 ene	1 mar	1 abr	1 may	1 jun	2 jul	1 ago	1 set	1 oct
26	2 nov	3 dic	31 dic	31 ene	2 mar	2 abr	2 may	2 jun	3 jul	2 ago	2 set	2 oct
27	3 nov	4 dic	1 ene	1 feb	3 mar	3 abr	3 may	3 jun	4 jul	3 ago	3 set	3 oct
28	4 nov	5 dic	2 ene	2 feb	4 mar	4 abr	4 may	4 jun	5 jul	4 ago	4 set	4 oct
29	5 nov		3 ene	3 feb	5 mar	5 abr	5 may	5 jun	6 jul	5 ago	5 set	5 oct
30	6 nov		4 ene	4 feb	6 mar	6 abr	6 may	6 jun	7 jul	6 ago	6 set	6 oct
31	7 nov		5 ene		7 mar		7 may	7 jun		7 ago		7 oct

Los controles periódicos I

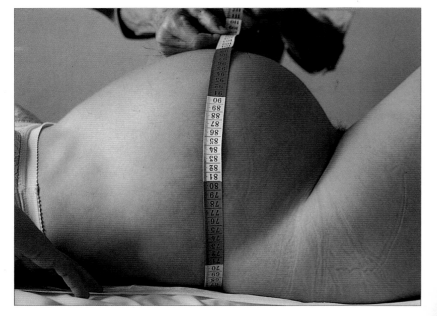

La medición periódica del perímetro abdominal permite controlar el crecimiento progresivo del útero, lo cual brinda una excelente pauta del desarrollo de la gestación.

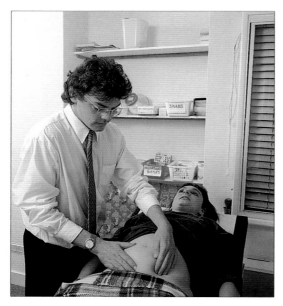

La palpación del abdomen sirve para apreciar las características del útero, que a partir del tercer mes del embarazo ya puede advertirse por encima del pubis y en el cuarto mes se encuentra a media altura entre el pubis y el ombligo, alcanza a éste cerca del quinto mes y llega prácticamente hasta las costillas en el mes octavo.

La realización de controles periódicos a lo largo de toda la gestación es la fórmula ideal para garantizar que no se producen complicaciones ni en el estado de salud de la madre ni en el desarrollo del feto, o bien, en el caso de que se produzca alguna anomalía, para poder advertirla e intentar corregirla precozmente, evitando así que evolucione y provoque alteraciones que puedan ser significativas en la madre o en el niño.

La frecuencia de los controles se establece en cada caso particular, en función de los datos que se hayan obtenido en las primeras exploraciones y pruebas. Como norma general, se hace una visita cada treinta días hasta el octavo mes de gestación, después cada quince días y, a partir de las treinta y siete semanas de embarazo, cada siete días. Sin embargo, no es nada extraño que se planifiquen las visitas con más frecuencia, como sucede en el caso de que haya alguna circunstancia que sugiera un riesgo más alto de complicaciones, por ejemplo en el caso de que la mujer embarazada sufra de diabetes, de alteraciones cardíacas, de

La medición de la presión arterial es un paso básico de cada control, ya que su aumento puede ser indicio de una complicación grave que requiere tratamiento precoz.

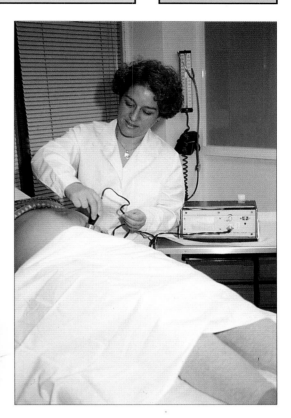

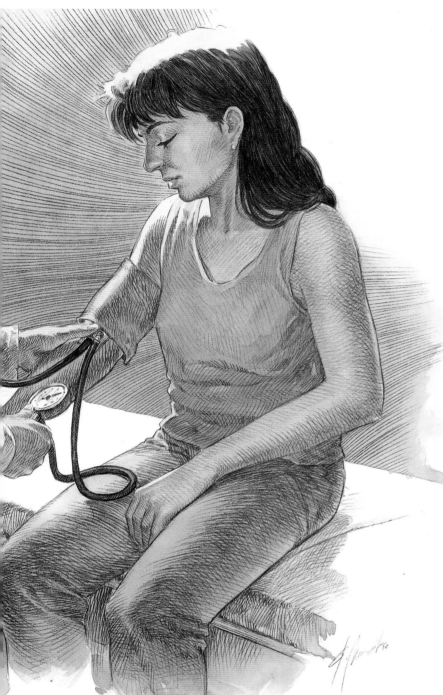

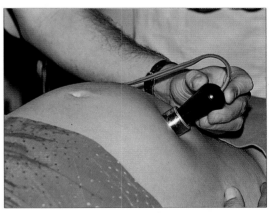

trastornos endocrinos o de alguna
enfermedad crónica que requiera un estricto
control. También, como precaución, las
consultas acostumbran a ser más frecuentes
si la mujer es muy joven, si tiene más de 35
años, si es obesa o fumadora, si ha tenido
abortos con anterioridad o si en el
transcurso de la gestación presenta alguna
alteración importante.

*A fin de detectar los latidos fetales,
a partir de la doceava semana de
gestación se suele recurrir a un
aparato electrónico como el que se ve
en las fotografías. El dispositivo consta
de un transductor que, aplicado sobre
el abdomen materno, emite
ultrasonidos y capta las ondas que se
reflejan en las estructuras cardíacas,
las amplifica y las convierte en sonidos
que se perciben con toda precisión.*

Los controles periódicos II

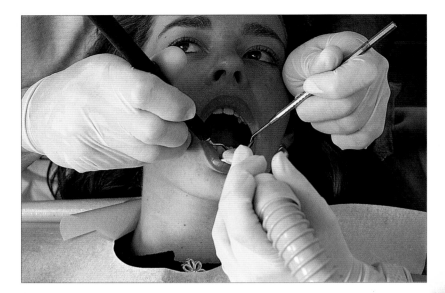

Al inicio del embarazo conviene que la mujer visite al odontólogo para comprobar el estado de su boca, hacer los arreglos necesarios y planificar un control de la misma, ya que en el curso de la gestación se producen cambios hormonales que tienden a debilitar las encías y predisponen al desarrollo de alteraciones dentales, más comunes que en otras épocas de la vida.

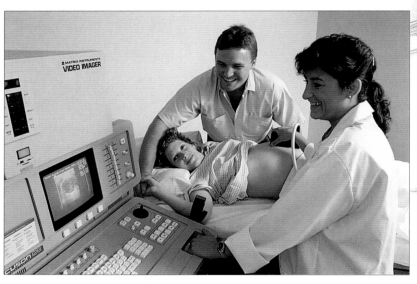

La ecografía es una exploración idónea para el seguimiento del embarazo, ya que se trata de un procedimiento inocuo y fácil de realizar, mediante el cual es posible distinguir con precisión las estructuras anatómicas y la actividad del feto, así como la situación de la placenta.

En las visitas de control, el médico investiga los cambios que se producen en el organismo de la mujer embarazada y practica exámenes sencillos para evaluar su estado y el curso de la gestación. Cada consulta brinda una excelente oportunidad para que la mujer embarazada aclare todas sus dudas y comente con el médico la aparición de trastornos típicos de su estado, a fin de que éste pueda indicar la fórmula idónea para aliviarlos y recomiende las pautas elementales respecto a la alimentación, la higiene y otras cuestiones de la vida cotidiana.

El examen físico incluye una palpación del abdomen que permite controlar el aumento de tamaño del útero y hace posible comprobar la posición que adopta el feto en el decurso de los meses, así como una exploración del aparato genital y de las mamas. Entre otras determinaciones básicas de cada control destacan la medición del peso, a fin de comprobar que su aumento se mantiene dentro de los límites normales, y la determinación de la presión arterial.

A fin de investigar el estado del feto, se auscultan los latidos fetales mediante un estetoscopio obstétrico o un aparato electrónico especial, ya que esta exploración da una buena idea de su actividad.

Entre las exploraciones complementarias habituales, se solicitan análisis de orina periódicos, así como análisis de sangre cuando conviene. También es algo común

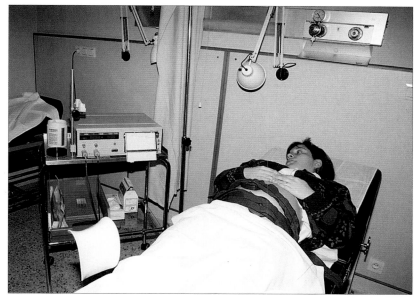

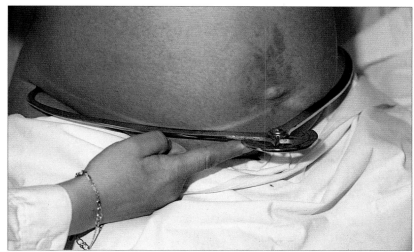

que se efectúen ecografías, con las que se pueden apreciar las estructuras fetales.

Además de los procedimientos rutinarios, en función de los datos obtenidos y de la evolución particular de cada caso, es posible que se realicen otras pruebas especiales, más complejas, como puede ser una cardiotocografía, para determinar si existe cierto grado de sufrimiento fetal, una amniocentesis, es decir, una punción para obtener una muestra del líquido amniótico donde flota el embrión para su análisis posterior, o bien, cuando el embarazo ya es avanzado, una amnioscopia, que consiste en la observación de las características del líquido amniótico mediante un instrumento óptico introducido a través de la vagina.

En la fotografía superior se puede observar la realización de una cardiotocografía externa, que es una prueba en la que, mediante la colocación de unos transductores sobre el abdomen materno, se registra la actividad cardíaca fetal y las contracciones uterinas que se presentan en el transcurso del embarazo. El estudio

permite deducir la capacidad de respuesta del feto frente a los esfuerzos maternos y otros estímulos externos, así como determinar si se presenta un déficit de oxigenación fetal que haga aconsejable adelantar el parto, por lo que muchas veces se lleva a cabo como una parte del control de la última fase del embarazo.

Entre las exploraciones rutinarias, se incluye la medición de las dimensiones de la pelvis materna, que recibe el nombre de pelvimetría, efectuada con la finalidad de determinar si el feto podrá atravesar sin dificultades el canal del parto.

Control del aumento de peso

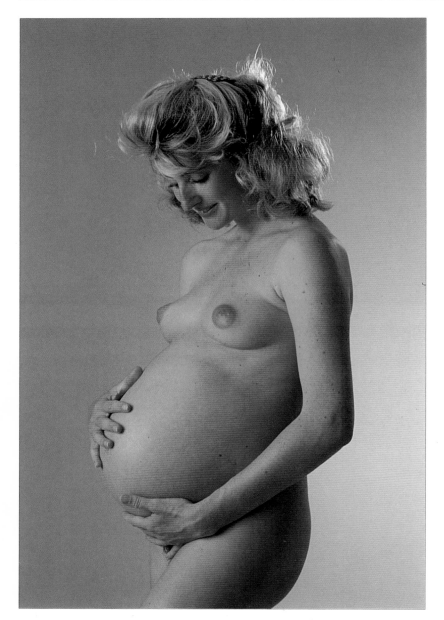

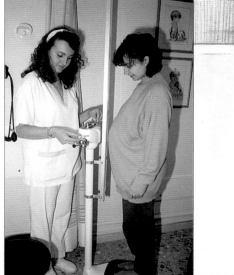

Es necesario efectuar la determinación del peso de un modo regular y siempre en condiciones idénticas, preferiblemente en la misma báscula, a fin de poder confeccionar un gráfico del incremento con garantías suficientes.

El control regular del peso es un punto fundamental en el seguimiento del embarazo, ya que tanto un incremento exagerado como un aumento muy reducido pueden resultar perjudiciales o bien indicar que existe algún problema que requiere corrección. Así, por ejemplo, un aumento insuficiente de peso puede ser indicativo de un desarrollo inadecuado del feto, mientras que un incremento excesivo puede implicar una serie de dificultades en el momento del parto.

En el aumento de peso inciden diversos factores, tanto en lo que atañe a la alimentación que sigue la mujer embarazada como al mismo proceso de la gestación. En este sentido, el incremento depende por un lado del desarrollo de las estructuras gestacionales, fetus y placenta, y de la acumulación del líquido amniótico en que se encuentra sumergido el feto y, por otro, de las modificaciones que se producen en el organismo materno, como puede ser un incremento del volumen sanguíneo, el crecimiento del útero y el agrandamiento de las mamas que se preparan para el proceso de la lactancia. Cabe destacar que, si la gestante mantiene una alimentación equilibrada, no hay razón alguna para que se

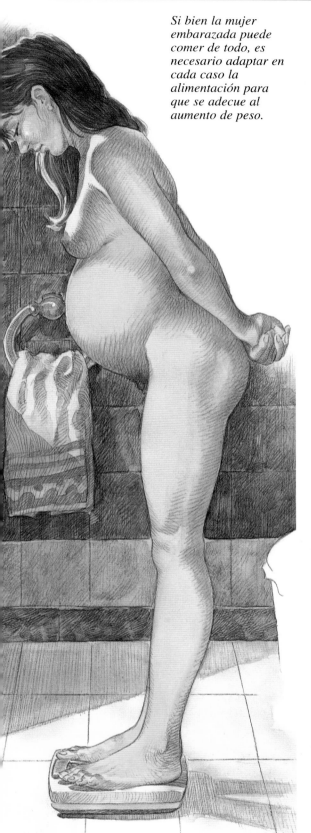

Si bien la mujer embarazada puede comer de todo, es necesario adaptar en cada caso la alimentación para que se adecue al aumento de peso.

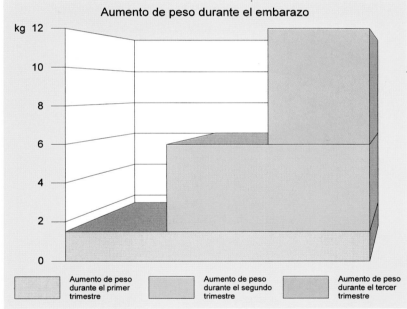

Aumento de peso durante el embarazo

kg

| | Aumento de peso durante el primer trimestre | Aumento de peso durante el segundo trimestre | Aumento de peso durante el tercer trimestre |

En el gráfico se puede apreciar la variación normal del incremento del peso corporal de la mujer embarazada según el trimestre de la gestación.

produzca un aumento importante de su grasa corporal.

Si bien existe una cierta variabilidad individual, se acepta como normal que el aumento total de peso se sitúe entre los 9 y 12 kg, con un incremento regular y progresivo. Así, se considera que en condiciones normales el peso no aumenta durante el primer trimestre de gestación, o como mucho lo hace a razón de 0,5 Kg por mes, y que posteriormente incrementa entre 1 y 1,5 Kg por mes en el segundo trimestre y unos 2 Kg cada mes durante el tercer trimestre.

Ecografía I

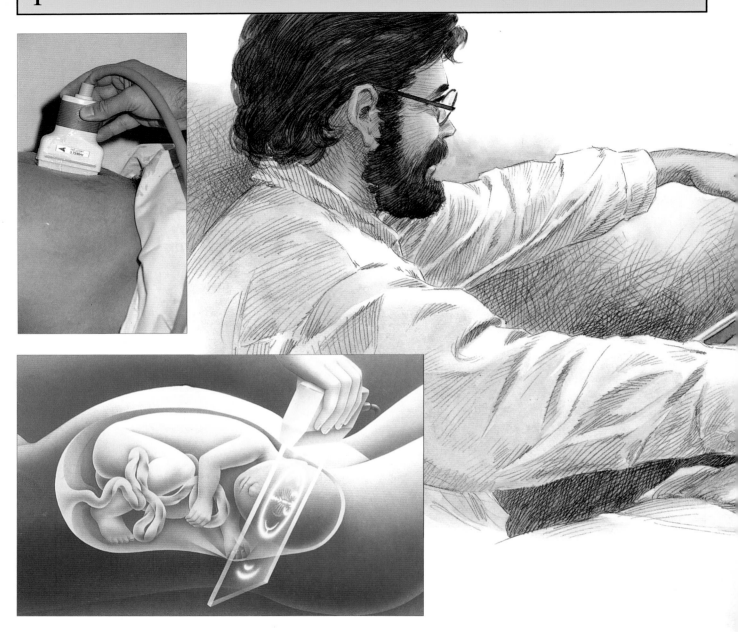

La ecografía se basa en el uso de ultrasonidos, es decir, de ondas de alta frecuencia que no son perceptibles por el oído humano. Aplicadas sobre la superficie del cuerpo, las ondas ultrasónicas atraviesan los tejidos y se reflejan, como un eco, al chocar con las estructuras de diversa densidad, por lo que su grabación permite obtener una imagen del interior del organismo. Utilizado en el curso del embarazo, el estudio permite, pues, distinguir con precisión el embrión o feto, tanto en su anatomía como en su actividad vital.

Su práctica es muy sencilla, ya que basta con pasar un pequeño aparato emisor y receptor de ultrasonidos por encima del abdomen materno, después de haber embadurnado la superficie con una pasta conductora que facilite la transmisión de las ondas. Inmediatamente, se obtiene en una pantalla la representación gráfica del útero y de las estructuras que hay en el mismo.

La aplicación de ultrasonidos resulta totalmente inocua para el niño en desarrollo, y así, dado que aporta una información valiosa, se recurre a esta técnica de manera rutinaria. La cantidad de ecografías hechas a

En la fotografía superior, se puede observar el aparato emisor y receptor de ultrasonidos que se desplaza por encima del abdomen materno a fin de obtener la grabación ecográfica. Debajo, se presenta un esquema que muestra la dirección del haz de ultrasonidos que permite grabar en la

48

pantalla la representación de una sección del organismo materno y las estructuras intrauterinas.

lo largo de la gestación depende de las características evolutivas de cada caso y de las disponibilidades del centro; es por ello que no se puede estipular una norma fija. Habitualmente, se solicita un estudio después de la primera visita, otro hacia la mitad del embarazo y un tercer estudio cuando se avecina la fecha probable del parto, aunque no es extraño que se practique en otros momentos de la gestación si se considera conveniente.

La ecografía hace posible una valoración del feto, determinando su desarrollo anatómico y sus movimientos y posturas. Además, la exploración permite estudiar las características y la situación de la placenta, datos muy útiles por lo que se refiere a las anomalías de esta estructura.

Por otra parte, el registro ecográfico es un complemento de máxima utilidad para la práctica de otras pruebas, como es la punción efectuada para obtener una muestra de líquido amniótico, ya que permite controlar la introducción de la aguja y evitar así lesiones accidentales del feto.

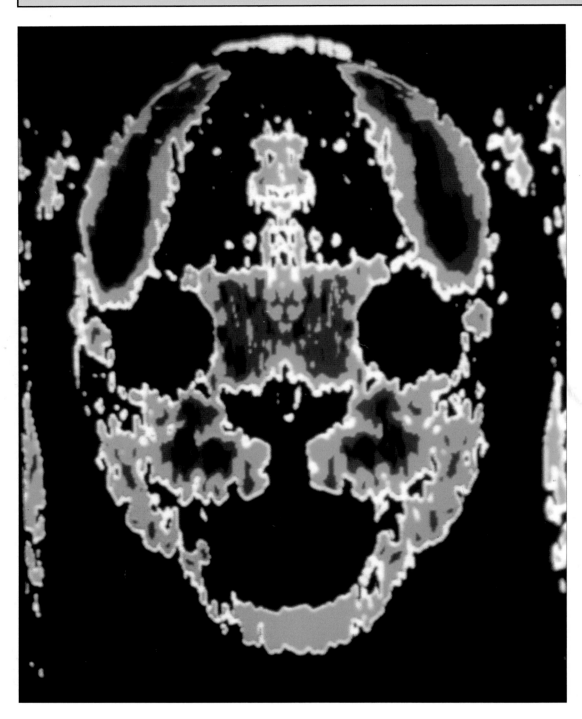

Las fotografías de las dos páginas corresponden a ecografías de fetos de diferentes edades, coloreadas artificialmente.
A la izquierda, se puede ver la representación de la cara de un feto de seis meses vista de frente.
En la página siguiente, en la izquierda y de arriba abajo: embrión de ocho semanas, que se encuentra sumergido en el líquido amniótico; feto de doce semanas, en que se distingue claramente la cabeza, el cuerpo y las extremidades; feto de 21 semanas en su posición característica con los brazos y las piernas doblados, con la imagen de la cabeza (a la izquierda) y del tronco.
En la página siguiente, arriba y a la derecha, se puede observar claramente el perfil de la cara de un feto de siete meses.

La ecografía permite detectar el saco gestacional, ya que a las dos semanas desde la falta de la menstruación y hacia la cuarta o quinta semana de gestación ofrece imágenes de las estructuras embrionarias, lo cual constituye el diagnóstico definitivo del embarazo. En este sentido cabe destacar que permite determinar precozmente el embarazo múltiple.

Entre la octava y la décima semana de gestación, la prueba evidencia los movimientos activos del embrión, así como la placenta, estructura que en este momento está totalmente formada.

En el curso del tercer mes, ya es posible distinguir globalmente las diversas partes

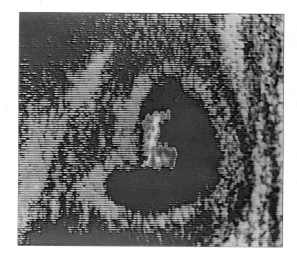

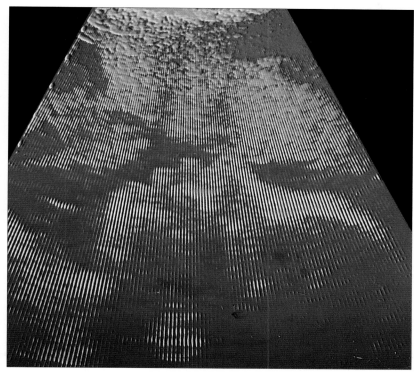

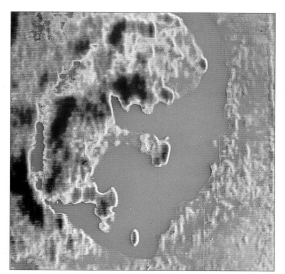

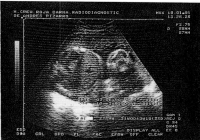

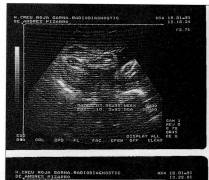

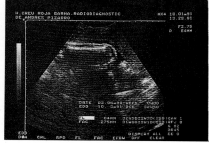

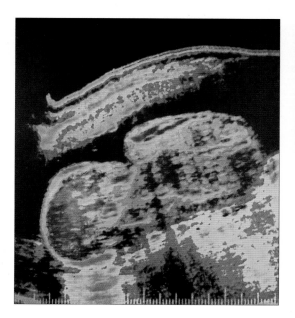

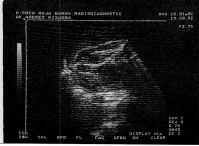

que constituyen el cuerpo del feto: la cara, el tórax y las extremidades.

A partir del cuarto mes, ya se pueden reconocer en las imágenes del feto casi todas las estructuras propias del ser humano e incluso, según la posición que adopte mientras se hace la prueba, es posible distinguir sus genitales cuando el sexo es masculino.

Las imágenes de la pantalla se pueden pasar a una placa radiográfica, para tener constancia de la prueba.

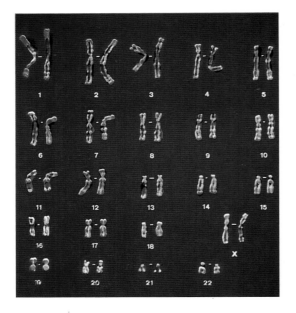

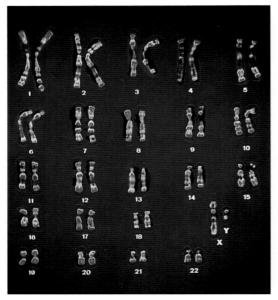

El cariotipo humano normal consta de 23 pares de cromosomas y tiene dos variantes: femenino (arriba), con dos cromosomas sexuales X, y masculino (abajo), con un cromosoma sexual X y otro Y.

Se conoce como consejo genético el conjunto de estudios y cálculos efectuados con el fin de determinar la existencia de alguna anomalía genética o cromosómica en los miembros de una pareja y poder establecer en base a ello las probabilidades de transmitir una alteración de este tipo a los descendientes. La práctica se puede llevar a cabo cuando existen antecedentes familiares de una afección que presumiblemente tiene un origen hereditario o bien cuando concurren ciertas circunstancias que predisponen a un defecto genético o cromosómico, ya sea antes de buscar un embarazo o bien al comienzo de la gestación, como parte de las técnicas de diagnosis prenatal.

Para realizar el consejo genético es necesario conocer con precisión la alteración que preocupa y determinar si en realidad es hereditaria. Con este objetivo, el especialista lleva a cabo un extenso interrogatorio y confecciona el árbol genealógico de los miembros de la pareja, y también puede solicitar un estudio cromosómico para obtener el cariotipo, es decir, la imagen ordenada e individualizada de todos los cromosomas del núcleo celular,

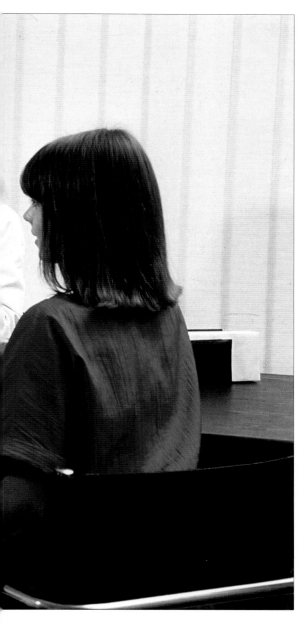

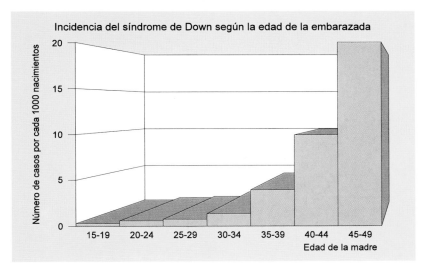

Incidencia del síndrome de Down según la edad de la embarazada

o bien la práctica de modernas técnicas de biología molecular que permiten detectar si son portadores de ciertas anomalías genéticas. A partir de los datos obtenidos, si se confirma la existencia de una alteración, se determina su patrón de transmisión hereditaria y, mediante cálculos complejos que analizan diversas variables, se determinan las probabilidades con que la descendencia pueda resultar afectada y, según el caso, se considera la posibilidad de efectuar técnicas de diagnóstico prenatal para poder precisar precozmente si el producto

En el gráfico se puede apreciar que las probabilidades de tener un hijo con el síndrome de Down aumentan en relación con la edad de la madre, y son mucho más elevadas cuando ésta tiene más de 35 años.

de una eventual gestación está afectado.

A pesar de la terminología utilizada, impuesta por el uso, no se trata propiamente de un consejo, ya que los especialistas se limitan a realizar los cálculos que determinan la probabilidad que una anomalía concreta sea transmitida a los hijos e informar a la pareja que ha solicitado el estudio, para que ésta adopte libremente las decisiones más oportunas por lo que se refiere a su procreación, teniendo en cuenta los datos obtenidos.

Diagnosis prenatal

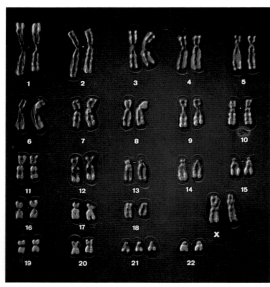

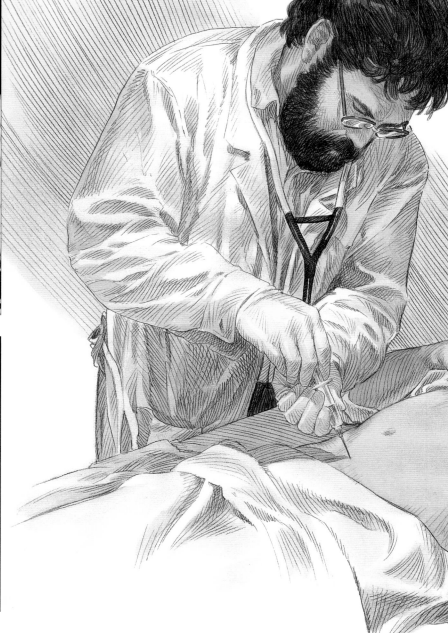

Mediante la amniocentesis (arriba) es posible obtener células procedentes del feto para efectuar un estudio cromosómico. En la fotografía inferior, se puede observar el cariotipo de la trisomía 21 o síndrome de Down.

A fin de establecer el diagnóstico de alteraciones fetales en el curso de la gestación, se cuenta con muy diversas técnicas que permiten detectar el 80% de los defectos congénitos y prácticamente el 100% de algunas anomalías cromosómicas.

Entre las pruebas utilizadas cabe destacar los análisis de sangre y de orina maternas en la búsqueda de marcadores bioquímicos característicos de ciertas anomalías, así como la ecografía y la ecocardiografía, sumamente útiles en la detección de malformaciones.

Una prueba muy eficaz en la diagnosis prenatal es la amniocentesis, es decir, la obtención de una muestra del líquido amniótico que envuelve al feto mediante una punción en el abdomen materno. Con esta muestra se pueden practicar análisis bioquímicos y también estudios cromosómicos de las células procedentes del feto.

Otras técnicas de obtención de muestras citológicas para estudios cromosómicos son la biopsia de corion, la funiculocentesis o cordocentesis y la biopsia de pie fetal.

La ilustración muestra los procedimientos utilizados para la biopsia de corion, que consiste en la obtención de una muestra de los tejidos que envuelven al embrión y que tienen idéntica dotación cromosómica. La práctica se puede efectuar mediante una punción que se realiza a través de la pared abdominal o bien a través de la vagina y del canal cervical.

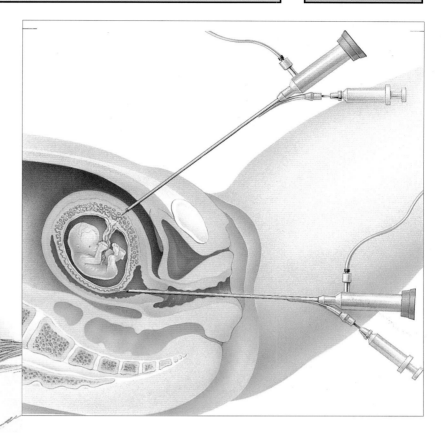

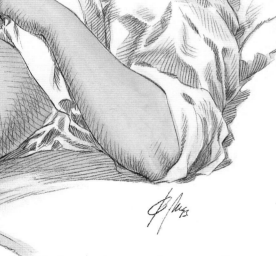

La funiculocentesis o cordocentesis consiste en la obtención de una muestra de sangre fetal mediante una punción del cordón umbilical. Esta prueba se puede practicar a partir de las dieciocho semanas de la gestación, y con la muestra sanguínea obtenida es posible efectuar estudios cromosómicos, así como diagnosticar algunas afecciones hematológicas, metabólicas e infecciosas.

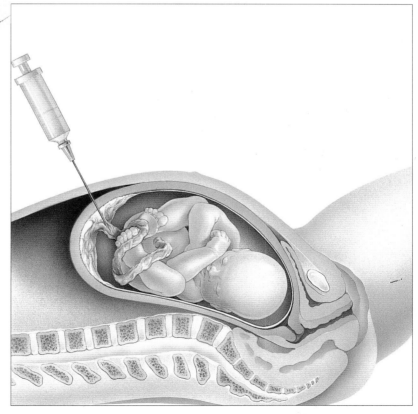

La vida de la embarazada

Los meses de espera constituyen para la mujer embarazada una época de grandes expectativas durante la cual, al mismo tiempo que crece la ilusión, van surgiendo generalmente infinidad de interrogantes en relación con el tipo de vida cotidiana que tiene que hacer mientras se acerca el momento del parto, aquello que conviene hacer para favorecer el desarrollo del nuevo ser y, tanto o más importante, aquello que es aconsejable evitar a fin de no perjudicarlo. Estas inquietudes son lógicas, especialmente cuando se trata del primer embarazo, y conviene que cada una de ellas, aunque parezca poco importante, tenga una respuesta oportuna.

Generalmente, los familiares y los amigos opinan y dan consejos, y la futura madre puede sentirse desconcertada o confundida por las múltiples recomendaciones, algunas de las cuales posiblemente sean contradictorias. Pero la mujer siempre tiene que tener presente que en esta época es responsable ya de otra vida, que todos sus actos, hasta algunos triviales, pueden repercutir positivamente o negativamente en su futuro hijo y que, por tanto, la información en la que confía es necesario que sea veraz, basada prioritariamente en las instrucciones impartidas por el equipo médico que controla el proceso y, en todo caso, en fuentes fidedignas que cuenten con suficientes garantías de seriedad.

Es evidente que durante el embarazo el cuerpo de la mujer experimenta múltiples modificaciones, que son el resultado del crecimiento del nuevo ser y de la adaptación de los diferentes aparatos orgánicos para cubrir sus necesidades. Y la actividad cotidiana que desarrolle la gestante tiene que tener en cuenta estas transformaciones, ya que algunas de ellas, como es el aumento de peso, conviene que se mantengan dentro de la normalidad, y también para que otras, como la lógica modificación postural a medida que crece el abdomen, no conlleven trastornos añadidos. Será necesario, pues, poner cuidado especial en cuestiones como la alimentación, el vestuario, la higiene, el ejercicio físico y el reposo.

Un punto de la máxima importancia durante el embarazo es la alimentación, factor que juega un papel fundamental para garantizar el desarrollo armónico del proceso, ya que si no cumple unos requisitos básicos puede dar lugar a repercusiones negativas tanto en el organismo materno como en el del niño que se está formando. Por un lado, es necesario que la dieta aporte los elementos nutritivos necesarios para el crecimiento del feto, ya que en caso contrario, su desarrollo sería inadecuado o bien daría lugar a carencias en la madre. Por otro, sin embargo, no tiene que ser exagerada, ya que entonces daría origen a un aumento de peso inadecuado y esto también resultaría contraproducente. En este sentido, hay que destacar que no es correcta la tradicional idea de que la futura madre tiene que comer "por dos"; en todo caso, lo adecuado es decir que tiene que comer "para dos"; a fin de cubrir los requerimientos especiales del pequeño organismo en desarrollo y mantener el equilibrio nutritivo de la mujer. La alimentación, en definitiva, tiene que basarse en una información adecuada, siguiendo unas pautas concretas que, respetando unas líneas maestras aconsejables para todos los casos, tienen que adaptarse a las necesidades y conveniencias de cada situación particular.

En lo que se refiere al vestuario de la gestante, la elección tiene una importancia innegable. No se trata simplemente de llevar una ropa que evidencie el estado de la mujer, lo que sin duda puede hacer mucha ilusión, ni de regirse por los imperativos de la moda premamá. La ropa que se utilice tiene que adaptarse a las modificaciones que experimenta el cuerpo de la mujer embarazada, teniendo en cuenta unos requisitos básicos para que no genere trastornos. Pero esto no quiere decir que haya que dejar de lado las preferencias individuales o que se tenga que descuidar el aspecto, sobre todo en una época en que, precisamente a causa de los cambios corporales, se puede generar un sentimiento de inseguridad respecto a la propia imagen. La mujer tiene que tener en cuenta los factores básicos que hacen necesaria una adaptación del vestuario, para que pueda hacer su elección con libertad e imaginación, aprovechando todas las posibilidades.

Las pautas de higiene corporal también tienen una importancia especial, porque si bien hay que mantener unos hábitos higiénicos estrictos, al mismo tiempo tienen que evitarse unas prácticas potencialmente perjudiciales. Por ejemplo, en el último tramo del embarazo es preferible evitar los baños de inmersión, y por lo que se refiere a la higiene de la zona genital, que tiene que ser esmerada, están contraindicadas las duchas vaginales. Y, por otro lado, hay que cuidar siempre que los productos que se utilicen no sean irritantes, ya que pueden provocar reacciones cutáneas indeseables.

Otro ámbito de la vida cotidiana de la mujer embarazada que merece una atención especial es el referente a la actividad física. Para empezar, conviene destacar que no es aconsejable y mucho menos necesario, como se afirmaba antiguamente, que la mujer embarazada limite al máximo su actividad física. Es cierto que puede cansarse con más facilidad al llevar a cabo tareas habituales, pero esto sólo exige las lógicas adaptaciones, considerando siempre que, a excepción de cuando se hace imprescindible por la aparición de ciertos trastornos o complicaciones, la inactividad resulta perjudicial.

Si el médico no lo contradice específicamente, conviene que la gestante se mantenga activa, sin renunciar a las labores domésticas o a las ocupaciones laborales a que esté habituada y que no impliquen un esfuerzo excesivo. Esto contribuirá a que se potencie la acción de los aparatos cardiocirculatorio, respiratorio y locomotor, lo cual redundará en un mejor aprovechamiento de sus capacidades y en la prevención de las típicas molestias consiguientes al sedentarismo. Y también influirá positivamente en el estado anímico de la mujer embarazada, al no sentir restringidas sus actividades y poder continuar atendiendo a sus ocupaciones. Pero, por supuesto, tan importante como mantenerse activa también lo es respetar un adecuado reposo y no exponerse a esfuerzos que puedan resultar perjudiciales. En base a criterios racionales, habrá, pues, que encontrar un adecuado equilibrio entre actividad y descanso.

Por un lado, con las lógicas limitaciones que implican las transformaciones corporales o el cansancio que típicamente aparece con cierta facilidad en el curso del embarazo, la mujer podrá continuar con prácticas deportivas, tareas domésticas y actividades laborales durante la gestación. Aunque evaluando siempre las exigencias que suponga cada una de ellas y teniendo en cuenta que de ninguna manera pueden llegar a suponer un estado de agotamiento, perjudicial para la mujer y también para el feto en desarrollo.

Por otro lado, también hay que asegurar un reposo adecuado, ya que el organismo de la mujer embarazada requiere el suficiente descanso para poder recuperarse del esfuerzo a que está sometido por el simple hecho de estar gestando un nuevo ser. De la misma manera que no es conveniente la inactividad, también hay que considerar perjudicial la actividad exagerada, agotadora o mantenida durante una excesiva cantidad de horas. En este sentido, pues, siempre que sea necesario habrá que adecuar las tareas cotidianas para garantizar un descanso suficiente. En algunas ocasiones el reposo absoluto se hace indispensable, como sucede si existe un peligro de aborto o de parto prematuro, situaciones en las que las indicaciones del médico tienen que ser respetadas al pie de la letra para que la gestación pueda llegar a buen término.

Y hablando de peligros, hay que tener en cuenta que muchas cuestiones de la vida cotidiana de la gestante suponen riesgos significativos para el pequeño ser en desarrollo. En este apartado hay que destacar unos hábitos nocivos muy comunes, como el tabaquismo o la ingestión de bebidas alcohólicas, así como, por supuesto, el consumo de drogas. La mujer tiene que considerar que cualquier tóxico que penetre en su cuerpo también llegará hasta el organismo del niño que está gestando, y que en él, todavía en desarrollo, seguramente tendrá repercusiones nocivas más importantes que las que tiene sobre ella misma. No se trata de suposiciones, porque infinidad de estudios efectuados al respecto han puesto de manifiesto una y otra vez el perjuicio que para el desarrollo fetal tiene el hecho de que la mujer fume, beba alcohol o consuma otras drogas. La exposición a estos tóxicos puede implicar un trastorno del crecimiento del feto e incluso el desarrollo de anomalías orgánicas o déficit intelectual, lo que supondrá un triste perjuicio, muchas veces definitivo e irrecuperable, para la calidad de vida del ser que aún está en plena formación. Esto obliga, pues, a que la mujer sea consciente, de manera realista, de la necesidad de evitar riesgos que, en definitiva, son innecesarios y que sólo dependen del respeto a unas pautas de conducta saludables, convenientes en cualquier época de la vida, pero fundamentales durante la gestación.

Existen todavía otros peligros que afectan al ser en desarrollo y que no hay que dejar de tener presentes, como por ejemplo la exposición a sustancias tóxicas presentes en el medio ambiente o la utilización de procedimientos médicos potencialmente nocivos para el fruto de la gestación. Respecto al primer punto, es necesario que la mujer embarazada evite cualquier lugar que la exponga a contaminantes, como por ejemplo ambientes llenos de humo —tanto ella como el feto pueden convertirse en fumadores pasivos— o lugares de trabajo donde se manipulen sustancias químicas capaces de provocar alteraciones en el desarrollo fetal. En cuanto al segundo punto, cabe destacar que algunos recursos médicos beneficiosos e inocuos en otras épocas de la vida, como la administración de numerosos medicamentos, pueden ser extremamente nocivos para el producto de la gestación, por lo que, sin excepción, su utilización siempre requiere la indicación y el control de un facultativo que conozca el estado de la gestante.

Finalmente, hay que destacar que todo lo que hemos dicho anteriormente lo ha de tener en cuenta no sólo la mujer embarazada sino también su compañero. La espera de un hijo es una cuestión que concierne a la pareja y, de una forma u otra, requerirá ciertas adaptaciones en la vida cotidiana de los dos miembros de la pareja y de toda la familia. Es muy importante, pues, que el hombre participe también activamente en todo aquello relativo al embarazo, que se preocupe de disponer de una información adecuada sobre lo que está sucediendo en el organismo materno y las exigencias específicas que esto conlleva, que ayude a su mujer a superar los impedimentos que su estado implica en la vida cotidiana y, tan importante como todo esto, que tenga muy en cuenta sus necesidades afectivas en una época tan especial.

Transformaciones del cuerpo de la embarazada

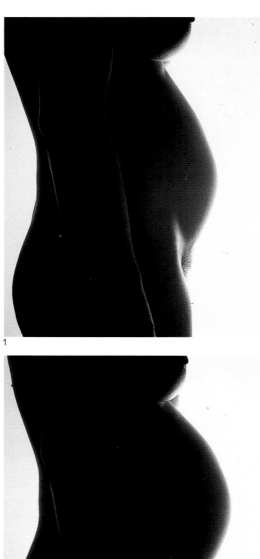

A lo largo de la gestación, el cuerpo de la madre experimenta una serie de transformaciones como consecuencia directa del crecimiento del feto y de las estructuras que lo envuelven (placenta, membranas y líquido amniótico) en el interior del útero, y también provocadas por la acción que tienen las hormonas secretadas por la placenta y los ovarios sobre todo el organismo. Las modificaciones internas son muy numerosas, pero algunas de ellas tienen una traducción que se hace evidente en el exterior.

El crecimiento progresivo del útero, que a lo largo de la gestación llega a multiplicar su peso por 20 y a aumentar casi 4.000 veces su capacidad, da lugar a la típica hinchazón del abdomen, que empieza a

3

4

La serie de fotografías que se recogen en las dos páginas corresponden al seguimiento de un embarazo y en ellas se muestra el crecimiento progresivo del abdomen durante el transcurso de todo el proceso. Hay que destacar que el volumen y la forma que adoptará el abdomen varía en cada uno de los casos en función de diversos factores, como por ejemplo la constitución de la madre, el tamaño del feto, el número de fetos, etc., si bien la medida del perímetro abdominal (página anterior) constituye un excelente indicador del desarrollo fetal.
1, a las 17 semanas de la gestación;
2, a las 20 semanas;
3, a las 24 semanas;
4, a las 28 semanas;
5, a las 33 semanas;
6, al final del embarazo.

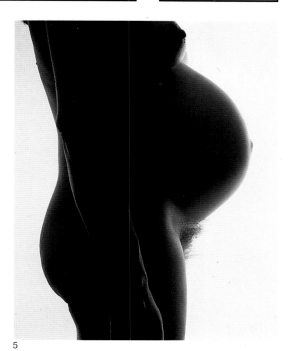

5

6

hacerse evidente a partir del segundo o tercer mes del embarazo. Y el incremento de peso en la zona abdominal supone una sobrecarga para la columna vertebral, que tiende a modificar su curvatura especialmente en la región lumbar.

Las mamas también aumentan de peso y de volumen, preparándose para la producción de leche, al mismo tiempo que se incrementa la pigmentación de los pezones y de las aréolas. Estos cambios comienzan precozmente, y constituyen una de las primeras señales que anuncian el embarazo.

El volumen de líquido corporal en el organismo de la mujer aumenta, y por lo mismo no es de extrañar que se presente una hinchazón en algunas partes del cuerpo, especialmente en el rostro y en las piernas.

63

Alimentación de la embarazada I

En la dieta de la gestante no tienen que faltar las frutas y verduras frescas, ricas en minerales y vitaminas.

La alimentación de la mujer embarazada tiene que ser completa, variada y equilibrada, como en cualquier otra época de la vida, si bien requiere algunas adaptaciones a fin de asegurar la aportación de todos los elementos necesarios y en la proporción idónea para permitir la formación de las estructuras fetales y, al mismo tiempo, garantizar un nivel nutritivo adecuado en la madre. Así pues, hay que considerar el consumo de todos los nutrientes básicos, es decir, hidratos de carbono, proteínas, grasas, vitaminas y minerales.

En cuanto a la aportación energética, tiene que ser superior a la de otras épocas de la vida, ya que tiene que cubrir las necesidades tanto del feto como de la gestante, así como proporcionar una reserva adecuada para el momento del parto y de la lactancia. Pero el incremento hay que mantenerlo dentro de

ciertos márgenes y en función de las características constitucionales y la actividad física que lleve a cabo la gestante. Además, tiene que ser gradual, puesto que no se generan los mismos requerimientos calóricos en todo el embarazo. En términos generales, se considera que durante el primer trimestre no es necesario un incremento energético, y que a partir del cuarto mes la aportación tiene que ir aumentando gradualmente hasta constituir un suplemento diario extra de 350-400 calorías hasta el final del embarazo.

Los nutrientes energéticos básicos son los hidratos de carbono, que han de proporcionar el 50% de las calorías de la dieta. Las principales fuentes de hidratos de carbono son los cereales, las legumbres, las frutas y las hortalizas, que también contienen fibra vegetal, minerales y vitaminas, y es aconsejable limitar el

*La mejor fórmula
para garantizar que
la aportación de
nutrientes de tipo
energético es la
adecuada, ni
insuficiente ni
excesiva, es llevar
a cabo un control
periódico estricto del
aumento del peso
corporal.*

consumo de harinas refinadas y de azúcares,
que sólo aportan energía. Las grasas, que son
los nutrientes más calóricos, tienen que estar
presentes como en toda dieta normal, si bien
vigilando que su consumo no sea excedido y
preferiblemente limitando los fritos, los
embutidos y los guisos difíciles de digerir.

La aportación de proteínas adquiere una
importancia máxima, ya que son indispensables
para la formación de las estructuras del feto. Se
considera que los requerimientos se cubren con
un consumo entre 90 a 100 g diarios, siempre
que como mínimo la mitad corresponda a
proteínas ricas en aminoácidos esenciales que
sólo pueden provenir de la alimentación. Las
proteínas de alta calidad son las que aportan los
alimentos de origen animal, como la leche y
derivados, la carne, el pescado y los huevos, en
tanto que las procedentes de los vegetales, de
valor biológico inferior, son importantes como
complemento.

*La leche, rica en
proteínas de alta
calidad, en vitaminas
y en calcio, es uno de
los alimentos más
completos y conviene
que esté presente en
la dieta de todas las
mujeres embarazadas.
Se aconseja tomar
entre 3/4 de litro y
1 litro de leche al día,
o bien su equivalente
en derivados lácteos
como el yogur y el
queso.*

La dieta de la embarazada tiene que aportar los diferentes tipos de nutrientes básicos (proteínas, hidratos de carbono, grasas, minerales y vitaminas) en cantidades suficientes para cubrir los requerimientos del feto y de la madre, lo cual sólo se consigue cuando se consumen alimentos variados. En la fotografía, ejemplo de un menú estándard que incluye los componentes de todas las comidas de un día.

Las necesidades de vitaminas acostumbran a estar cubiertas si se sigue una alimentación normal, variada y equilibrada, en la que no falten las frutas y las verduras crudas. En algunos casos puede ser conveniente recurrir a la administración de suplementos de vitaminas, cuando, por alguna circunstancia particular, se considera que la dieta no es suficiente, pero esta conducta sólo tiene que ser adoptada por indicación médica.

Las necesidades vitamínicas se cubren prácticamente en su totalidad si se sigue una alimentación variada que contenga toda clase de productos, incluyendo una buena proporción de frutas y de verduras crudas, ricas en estos nutrientes. De todas formas, es posible que el médico indique un suplemento de vitaminas.

En lo que atañe a los minerales, hay que

En la tabla consta la composición nutritiva de algunos alimentos habituales que, como se puede observar, varía notablemente según los casos. Aunque no es necesario efectuar cálculos complejos para asegurar una ingestión suficiente de cada tipo de elemento básico, conviene que la mujer embarazada tenga una idea del contenido nutritivo de las diferentes clases de alimentos, porque así podrá apreciar con suficiente claridad la necesidad de llevar a cabo una alimentación suficientemente variada y equilibrada en la que no haya carencias ni excesos de algún nutriente en particular.

CONTENIDO NUTRITIVO DE DIFERENTES ALIMENTOS

100 g de alimento (porción comestible)	energía (Kcal)	proteínas (g)	lípidos (g)	glúcidos (g)	hierro (mg)	calcio (mg)	vit. B_6 (mg)	vit. B_{12} (mg)	vit. C (mg)	vit. D (mg)
arroz	354	7,6	1,7	77	0,8	10	0,3	0	0	–
pan	255	7	0,8	55	1	100	–	0	0	–
pasta	375	12,8	1,4	76,5	1,5	22	–	0	0	–
garbanzos	361	18	5	61	7,2	149	–	0	–	–
judías	330	19	1,5	60	6,7	137	0,07	0	–	–
lentejas	336	24	1,8	56	7	60	0,6	0	3	–
acelgas	33	2	0,6	5	3,5	150	–	0	20	–
coliflor	30	2,4	0,2	4,9	1,1	22	0,2	0	50	–
espinacas	32	3,1	0,6	3,6	2	60	0,18	0	30	–
judías verdes	39	2,4	0,2	7	0,9	65	0,18	0	19	–
lechuga	18	1,2	0,2	2,9	0,65	62	0,2	0	10	0,6
patatas hervidas	86	2	0,1	19	0,7	11	0,18	0	4	–
patatas fritas	544	6,7	37	50	1,9	30	0,18	0	2-10	–
tomate	22	1	0,3	4	0,6	11	0,25	0	0	0
zanahoria	42	1,2	0,3	9	1,2	39	0,2	0	9	3
ciruela	64	0,8	0,1	10	0,4	15	0,2	0	1-6	–
manzana	52	0,3	0,35	12	0,4	6	0,15	0	3	–
melocotón	52	0,5	0,1	12	0,4	8	0,02	0	5-8	–
naranja	44	1	0,2	9	0,5	28	0,12	0	50	–
pera	61	0,4	0,4	14	0,4	9-15	0,02	0	3	–
plátano	90	1,4	0,5	20	0,6	11	0,5	0	2-12	–
uva	81	1	1	17	0,3	20	0,08	0	4	–
almendras	620	20	54	17	4,4	254	0,1	0	–	–
avellanas	656	14	60	15	4,5	200	0,55	0	1	–
nueces	660	15	60	15	2,1	80	0,73	0	3	–
leche fresca	68	3,5	3,9	4,6	0,1	125	0,07	0,3	1-5	0,1
leche desnatada	36	3,6	0,1	5	0,1	121	0,07	0,3	0,5	–
yogurt	45	4,2	1,1	4,5	0,3	140	0,04	–	–	–
queso de bola	349	29	25	2	0,5	760	0,08	0	–	–
queso manchego	376	29	28,7	0,5	0,8	835	0,08	1,5	–	–
lomo de cerdo	290	16	25	–	2,5	10	0,45	2	–	–
pollo	121	20,5	4,3	–	1	10	0,42	–	4	–
bistec de ternera	181	19	11	0,5	3	11	0,3	1	1,5	–
jamón del país	380	17	35	–	2,5	10	0,22	2	–	–
atún	225	27	13	–	1,5	–	–	5	–	0,025
calamar	82	17	1,3	0,5	1,7	78	–	–	–	–
gambas	96	21	1,3	–	2	120	–	1	–	–
mejillones	72	12	1,7	2,2	24	100	–	–	17	–
merluza, rape	86	17	2	–	1	64	–	1	1	–
sardina	174	21	10	–	1,2	–	0,48	28	2,5	0,003
huevos	162	13	12	0,6	2,8	55	0,06	1,7	0	0,002
aceite de oliva	900	0	100	–	–	–	–	–	–	–
aceite de girasol	900	0	100	–	–	–	–	–	–	–
mantequilla	752	0,7	83	0,6	0,18	12	0,15	–	–	0,003
azúcar	380	0	0	99,5	0	5-40	–	–	0	–
miel	300	0,5	0,2	75	0,5	5	0,3	–	2	–

prestar atención a la aportación de algunos muy especiales. Así, hay que ingerir una cantidad suficiente de calcio, un elemento indispensable para la formación de los huesos y los dientes del feto; es conveniente consumir cada día alrededor de 1 a 1,2 g de calcio, procedente de la leche y de sus derivados así como de los vegetales verdes y de los cereales completos. También es muy importante cubrir las necesidades de hierro, mineral requerido para la formación de los glóbulos rojos fetales; una alimentación variada y completa cubre este objetivo, si bien es frecuente que el médico recete un suplemento de este mineral.

El agua es también un elemento básico, por lo que, con independencia de la sed, conviene ingerir de 1-1,5 litros por día.

A medida que el embarazo evoluciona y se van haciendo evidentes cambios en el cuerpo femenino, paralelamente se hace necesaria la adaptación del vestuario de la mujer embarazada. El momento varía en cada caso, aunque en términos generales conviene cambiar los vestidos habituales a partir del segundo trimestre, cuando ya empieza a notarse que la ropa queda ajustada o que cuesta un poco abrocharla,

Como se puede comprobar en la fotografía superior, la utilización de un vestuario adecuado para el embarazo no tiene que estar de ninguna manera reñido con el uso de ropa informal.

68

Actualmente se fabrica una extensa variedad de ropa especial para embarazadas, que cumpliendo con el requisito básico de que las prendas de vestir no queden ceñidas y originen compresiones perjudiciales, permite a la futura madre elegir la que más se adapte a sus necesidades y preferencias, incluso siguiendo la moda imperante en cada momento, buscando aquella que según su criterio la favorece más para cada ocasión. La medida y la forma de los vestidos tienen que ser apropiadas para cada época de la gestación, si bien muchos de ellos cuentan con sistemas de ajuste extensible o son suficientemente holgados para que sean usados durante gran parte del embarazo. Es importante que la ropa que se utilice se adapte a las necesidades de cada estación del año, aunque, dejando de lado excepciones, no suele ser necesario que sea muy abrigada y, al contrario, conviene que sea ligera cuando el tiempo es cálido y evitar en lo posible los tejidos sintéticos.

especialmente a nivel de abdomen, los pechos, las caderas o las piernas, posiblemente hinchadas por la retención de líquidos.

Las prendas de vestir tienen que cumplir unos requisitos básicos: es necesario que sean anchas, para que de esta manera no compriman aquellas partes del cuerpo que van creciendo (vientre y mamas), y que permitan la transpiración y la libertad de movimientos, sin que queden ajustadas en ningún sitio, lo que dificultaría la circulación sanguínea. Es muy importante que los vestidos que lleva la mujer embarazada no sean estrechos a nivel de la cintura ni a la altura del pecho, y que tanto los pantalones como las faldas dispongan de un sistema de ajuste que sea extensible y que haga imposible cualquier compresión de la matriz.

La ropa
de la embarazada II

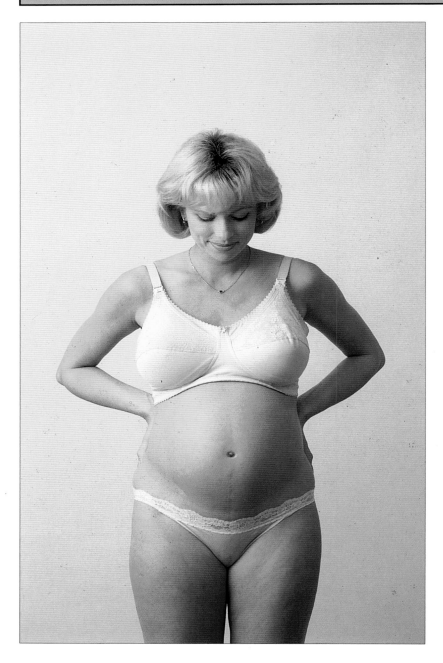

Es conveniente que los sujetadores sean amplios, que soporten bien los pechos pero que no los compriman, y que lleven tirantes anchos que permitan sostener el peso sin que lastimen la espalda.

La ropa interior tiene que cumplir unos requisitos básicos. Es preferible que sea de tejido natural (algodón, lino) y no de material sintético, para facilitar la transpiración.

Conviene llevar siempre sujetador, ya que en caso contrario los pechos, al crecer, tienen demasiada libertad de movimientos y tienden a perder firmeza; además, es importante evitar el roce de los pezones con la ropa. La talla necesaria varía en función de cada mujer y del momento de la gestación, pero en cualquier caso es necesario que sea amplio y, al mismo tiempo, que proporcione un buen soporte.

Las bragas no tienen que comprimir a nivel de la cintura ni de la ingle, y las medias y calcetines tampoco tienen que comprimir ningún punto de la pierna. Está contraindicado el uso de liguero; en cambio se pueden usar pantys y son muy recomendables las medias especiales para embarazadas, que efectúan una compresión progresiva desde los pies hacia los muslos y llevan la cintura ajustable.

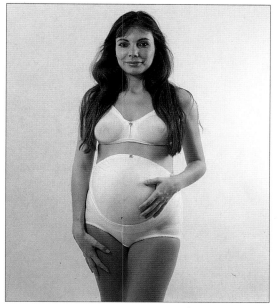

Hoy en día no se considera necesario el uso de faja (arriba), a excepción de que sea por indicación médica, cuando por algún motivo la mujer tiene una musculatura abdominal débil y no es posible fortalecerla con la práctica del ejercicio oportuno.

El calzado ideal durante el embarazo tiene que ser holgado y cómodo, con talón bajo y ancho; si los pies se hinchan, es conveniente usar un número más grande de lo habitual.

Higiene de la embarazada

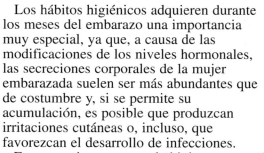

Hacia el final del embarazo es conveniente utilizar la ducha, ya que el baño de inmersión permite la entrada de agua contaminada por el canal vaginal.

Los hábitos higiénicos adquieren durante los meses del embarazo una importancia muy especial, ya que, a causa de las modificaciones de los niveles hormonales, las secreciones corporales de la mujer embarazada suelen ser más abundantes que de costumbre y, si se permite su acumulación, es posible que produzcan irritaciones cutáneas o, incluso, que favorezcan el desarrollo de infecciones.

Es necesario, pues, que la higiene personal sea estricta, procediéndose cada día a un lavado de todo el cuerpo con abundante

Durante el embarazo pueden utilizarse cremas y lociones con diversas finalidades. Así, por ejemplo, pueden aplicarse productos hidratantes o productos que aumenten la flexibilidad de la piel por encima del abdomen y los pechos, para intentar prevenir la formación de estrías. También pueden utilizarse cosméticos especiales para disimular los cambios de pigmentación que muchas mujeres experimentan en la cara. Sin embargo, antes de usar estos productos hay que estar seguro de que no implican efectos secundarios perjudiciales, por lo que siempre es preferible solicitar al médico los más indicados.

agua y jabón poniéndose una atención especial en los pechos y en las regiones genital y anal. Da igual utilizar la ducha o el baño, a excepción de las últimas semanas del embarazo, época en la que no son aconsejables los baños de inmersión. También están totalmente contraindicadas las duchas vaginales, ya que pueden alterar la flora vaginal normal y de esta forma facilitar las infecciones de la zona, y también provocar una contaminación u otras alteraciones de las estructuras gestacionales contenidas en el útero.

Para el lavado conviene utilizar agua tibia, independientemente de la época del año, a fin de que las modificaciones que tenga que experimentar el sistema circulatorio sean mínimas, ya que los vasos sanguíneos periféricos responden con una contracción o una dilatación, respectivamente, si se usa agua fría o agua caliente. Por lo que respecta al jabón utilizado, es preferible que sea neutro y que no contenga colorantes ni perfumes, ya que, en mujeres susceptibles, estos productos pueden llegar a provocar reacciones alérgicas.

La vida cotidiana

Para adaptarse a las transformaciones que se producen en su cuerpo y prevenir la aparición de algunas molestias, es necesario que la mujer embarazada modifique algunos hábitos de la vida cotidiana. Pero mientras el embarazo evolucione normalmente y no surjan complicaciones, no hay motivos para no llevar una vida normal.

Al contrario, es conveniente que la gestante se mantenga activa y, si no hay

Las actividades al aire libre, entre las que no tiene que faltar un paseo diario, son muy convenientes para mejorar el estado de los aparatos locomotor y circulatorio.

ninguna contraindicación específica, como puede ser un riesgo de aborto o de parto prematuro, su estado no justifica que deje de hacer las cosas que hacía antes del embarazo, entre las que pueden incluirse las tareas laborales y domésticas. Solamente es necesario evitar aquellos movimientos que puedan provocar una compresión del abdomen, los esfuerzos exagerados o agotadores y todas las actividades que

Las ilustraciones de la derecha muestran diferentes ejemplos típicos de algunas cuestiones básicas que la mujer embarazada tiene que tener en cuenta cuando realiza las actividades cotidianas, ya que unas simples precauciones son muy útiles para prevenir una serie de molestias que son frecuentes y evitar que las tareas que se realizan resulten perjudiciales para el feto.

Arriba: al sentarse, hay que mantener la espalda recta, bien apoyada sobre toda la superficie del respaldo y con los pies bien asentados en el suelo.

En medio: para inclinarse, hay que doblar las piernas y adoptar la posición en cuclillas manteniendo la espalda recta; este movimiento no hay que hacerlo inclinándose hacia adelante, para no comprimir al feto ni forzar la posición de la columna vertebral.

Abajo: para planchar, es importante disponer de una superficie de altura suficiente, que permita mantener todo el cuerpo erguido, con la espalda recta.

SÍ   NO

supongan algún peligro, como el subir a una escalera.

Es normal que la mujer embarazada se sienta más cansada de lo que es habitual, y en este sentido tiene que respetar el límite que el propio organismo le imponga, manteniendo un descanso adecuado y desarrollando siempre actividades físicas moderadas, requisitos indispensables para el bienestar del feto en desarrollo.

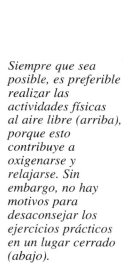

Siempre que sea posible, es preferible realizar las actividades físicas al aire libre (arriba), porque esto contribuye a oxigenarse y relajarse. Sin embargo, no hay motivos para desaconsejar los ejercicios prácticos en un lugar cerrado (abajo).

La práctica regular de ejercicio físico moderado durante el embarazo, incluyendo en este concepto los deportes que no sean agotadores ni impliquen riesgos evidentes, resulta beneficiosa en todos aquellos casos en que la gestación evolucione normalmente y no surjan complicaciones específicas que lo contradigan. Hay que tener en cuenta que la actividad deportiva no solamente contribuye a que la mujer mantenga una buena forma física, sino que también puede favorecer el curso de la gestación y del parto, previniendo la aparición de las típicas molestias consiguientes al sedentarismo e incluso preparando el organismo materno para una más fácil y rápida recuperación después del nacimiento. La elección de la actividad física que se practique tiene que

La natación permite un grado elevado de libertad de movimientos y es un deporte ideal durante el embarazo.

tomar en consideración diversos factores, para que además de adaptarse a las preferencias personales también tenga en cuenta las conveniencias de cada caso y las posibles contraindicaciones, cuestiones que siempre hay que consultar con el médico. Hay ocasiones en que durante la gestación la mujer no puede desarrollar el deporte que ya practicaba antes de quedar embarazada, o por lo menos con el mismo grado de exigencia, ya que probablemente se fatigue más y no pueda soportar el esfuerzo, o porque la actividad suponga un agotamiento excesivo que pueda perjudicar el desarrollo del feto. En este sentido, resulta fundamental procurar adecuar el nivel de esfuerzo físico al grado de entrenamiento previo así como a las diferentes fases del

embarazo, descartando, por ejemplo, los deportes que sean agotadores, como las carreras de fondo o el montañismo, los que implican un riesgo de caídas o de golpes que puedan afectar al feto, y cualquier tipo de práctica competitiva en la que el objetivo básico sea intentar ganar y no tan solo beneficiar el estado físico.

Los deportes más recomendables son aquellos que exigen un grado de esfuerzo moderado y regular, que no conlleven la realización de movimientos bruscos y que potencian la actividad tanto del aparato locomotor como del cardiorespiratorio, entre los que se pueden destacar la natación, el golf, el remo, la marcha suave o la danza.

Hay que evitar la práctica de cualquier tipo de actividad que implique riesgos evidentes de golpes o de caídas, como es el caso del patinaje, el esquí, el ciclismo o las zambullidas, así como deportes en que, además, el cuerpo de la embarazada se encuentra sometido a movimientos repetidos de subida y de bajada, como el baloncesto o la equitación.

El descanso

Si la embarazada se siente fatigada, el ideal es que interrumpa lo que está haciendo y que descanse hasta recuperar las fuerzas. En la medida de lo posible, conviene que durante la actividad cotidiana intercale períodos de reposo, con preferencia en posición horizontal y con las piernas levantadas.

Durante los meses del embarazo es muy importante que la gestante respete unos adecuados períodos de descanso cada día, factor fundamental para recuperarse del esfuerzo adicional que, en su estado, le conllevan las actividades cotidianas.

Generalmente, el propio organismo marca ya las pautas, y conviene respetar sus exigencias. Así, si mientras lleva a cabo una determinada actividad, la gestante se siente más fatigada de lo habitual, siempre que sea posible conviene que interrumpa lo que está haciendo y que descanse un rato, en vez de luchar contra el cansancio.

78

Es bastante frecuente que, en alguna fase durante el embarazo, a la mujer le cueste conciliar el sueño. Para combatir el insomnio y poder respetar un período mínimo de ocho horas de sueño al día, puede resultar de mucha utilidad recurrir a alguna medida relajante, por ejemplo tomar un baño de agua templada o beber con tranquilidad un vaso de leche tibia antes de acostarse.

Si bien en algunos casos el médico da instrucciones específicas sobre esto, en términos generales se aconseja que la mujer embarazada duerma no menos de ocho horas diarias y, si es posible, que también haga una pequeña siesta. Además, conviene que mantenga un reposo relativo, descansando o en todo caso realizando actividades poco exigentes, como mínimo otras ocho horas al día. Y cuando realice tareas que requieran un cierto esfuerzo, conviene que las interrumpa periódicamente y que intercale en ellas pequeños períodos de descanso.

A medida que avanza el embarazo, la posición más cómoda y adecuada para dormir es de lado; así se evita que el útero comprima los vasos sanguíneos del abdomen.

Los viajes

El tren es un medio de transporte ideal para los viajes de largo recorrido, porque permite que la embarazada se mueva y dé pequeños paseos.

El avión, por su parte, es muy útil cuando la duración del viaje es corta.

Los desplazamientos y los viajes durante el embarazo no tienen porque ser un motivo de preocupación, ya que no representan ningún peligro siempre que se adopten algunas medidas de precaución que reduzcan al máximo las incomodidades para la gestante y las posibilidades de un accidente que, aunque sea leve y tenga consecuencias intrascendentes para la mujer, podría tener repercusiones desfavorables para el feto. Así pues, el embarazo no tiene que suponer un impedimento para que se realicen las actividades habituales o los viajes ya planificados, a condición de que se actúe con prudencia.

En el medio urbano, conviene evitar los desplazamientos en las horas punta, cuando es más probable que haya aglomeraciones y los índices de contaminación son más elevados. Por lo que se refiere al tipo de vehículo más adecuado, prácticamente todos son útiles, tanto el automóvil (que la misma gestante puede conducir) como cualquier medio de transporte público. En cambio, hay que evitar el uso de vehículos de dos ruedas, ya que cualquier caída puede resultar muy perjudicial para el pequeño.

Para los viajes de largo recorrido, habrá que sopesar las ventajas y los inconvenientes de cada medio de transporte. Un factor a tener en cuenta es que no conviene que la gestante permanezca sentada y quieta demasiado tiempo, por lo que es preferible que el vehículo utilizado permita evitar esta situación. El coche es un medio útil, porque se pueden intercalar paradas frecuentes para poder estirar las piernas; con el tren o con el barco tampoco hay problema alguno para poder realizar pequeños paseos durante el viaje. Otros medios de transporte como el autobús o el avión no son los ideales para los recorridos muy largos.

Por lo que se refiere al avión, las compañías aéreas acostumbran a pedir una autorización médica las últimas semanas del embarazo, con la finalidad de comprobar que las posibilidades de que se desencadene el parto durante el trayecto son mínimas, ya que no podrían facilitarse las condiciones asistenciales idóneas.

Siempre que viaje en coche, la mujer embarazada tiene que utilizar el cinturón de seguridad, colocándolo, si lo precisa, por debajo o por encima del abdomen y sin que ajuste demasiado. Si el trayecto es largo, es importante que se hagan paradas a intervalos de una hora para que pueda dar un pequeño paseo.

81

Para la mujer que trabaja fuera de casa, el embarazo puede suponer la necesidad de introducir alguna modificación en sus actividades profesionales, si bien en la mayor parte de los casos no hay ningún inconveniente para que las continúe desarrollando. Esto depende de diversos factores como pueden ser el tipo de trabajo que realiza y el número de horas que le dedica, el medio ambiente en que lo ejerce y, por supuesto, la eventual aparición de trastornos en cada etapa del embarazo.

Se considera fundamental que la ocupación laboral no resulte agotadora ni provoque mucho estrés, ya que el exceso de trabajo, tal como demuestran diversos estudios, puede ser perjudicial para el curso del embarazo y llega a veces a provocar un parto prematuro o el nacimiento de un niño con un peso inferior al que tendría que tener.

Es muy importante que, al sopesar el esfuerzo requerido para el trabajo, también se tenga en cuenta el esfuerzo que supone el resto de actividades que realiza la mujer, como son las tareas domésticas, ya que hay que considerar la exigencia física del conjunto de sus ocupaciones diarias.

En términos generales, están contraindicadas las ocupaciones que requieren un gran esfuerzo muscular, la necesidad de adoptar posturas inadecuadas o tener que trabajar con máquinas o en lugares que suponen un riesgo físico, la exposición a sustancias potencialmente tóxicas para el feto o la permanencia en lugares cargados de humos, así como, aunque esta consideración es relativa, las actividades que implican una gran responsabilidad u otros factores que provoquen un estado permanente de nerviosismo. Si existe alguno de los factores mencionados, por ejemplo si la mujer trabaja en una industria en la que se utilizan productos químicos peligrosos, tiene que solicitar el traslado a una sección exenta de riesgos o, si esto no es posible, conviene que deje de trabajar temporalmente.

Es lógico que a la mujer embarazada le resulten más agotadoras de lo habitual las actividades que exigen mantenerse muchas horas de pie, como es el caso de las peluqueras, las camareras o las dependientas. Es conveniente que, tal como avanza la gestación, se tomen medidas para reducir el esfuerzo, especialmente en el último trimestre; así pues, hay que contemplar la posibilidad de reducir o de partir la jornada laboral, o bien cambiar la actividad por otra más descansada, como por ejemplo atender la caja, si el tipo de trabajo permite hacerlo.

La legislación concede a la gestante unas semanas de descanso, que se pueden repartir entre antes y después del parto, para lo cual se puede escoger el período de permiso que sea más conveniente en función de las necesidades y preferencias individuales. Muchas mujeres, que desarrollan una actividad poco exigente desde el punto de vista físico y la toleran bien, continúan trabajando casi hasta el momento del parto sin que esto les ocasione ninguna clase de perjuicio. Cuando la actividad laboral es más intensa, o si la mujer nota que se cansa demasiado o presenta algún tipo de trastorno que le hace incómoda la ocupación, es conveniente que suspenda el trabajo unas semanas antes de la fecha prevista para el parto, a fin de conseguir un mejor estado físico para cuando llegue este momento.

Productos industriales potencialmente peligrosos durante el embarazo

* *Alcohol, usado como disolvente en diversas industrias.*
* *Arsénico, utilizado en la elaboración de algunos colorantes.*
* *Benzol, utilizado en la fabricación de pinturas y tintes.*
* *Fósforo, utilizado para la producción de insecticidas, raticidas y cerillas.*
* *Mercurio, utilizado en la fabricación de aparatos científicos, espejos y explosivos.*
* *Nicotina, en manufacturas de tabaco.*
* *Plomo, presente en determinadas imprentas y utilizado en la elaboración de pinturas.*

Evitar algunos peligros I

Conviene que la mujer embarazada se abstenga de fumar y que tampoco se exponga al humo del tabaco, ya que en caso contrario, el mismo feto se convertirá en un fumador pasivo.

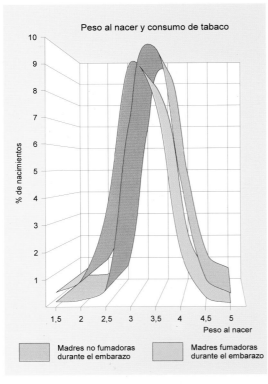

Peso al nacer y consumo de tabaco

% de nacimientos

Peso al nacer

Madres no fumadoras durante el embarazo

Madres fumadoras durante el embarazo

El gráfico muestra la distribución porcentual, según el peso en el momento de nacer, de los hijos de madres no fumadoras y de los hijos de mujeres que fumaban 20 o más cigarrillos diarios durante la gestación. Como se puede observar, los hijos de madres fumadoras pesaron por término medio alrededor de 200 g menos que los hijos de mujeres que no fumaron durante el embarazo.

Durante el embarazo, el hábito de fumar repercute de forma desfavorable en el desarrollo fetal, y se asocia a un retraso del crecimiento y a un índice más elevado de abortos, de partos prematuros y de otras complicaciones que hasta llegan a poner en peligro la vida del niño. Cabe destacar que los efectos nocivos del tabaquismo presentan una relación directa con la cantidad de cigarrillos que se fuman y que sólo pueden evitarse totalmente si la mujer fumadora abandona completamente el hábito de fumar, especialmente a partir del segundo trimestre de la gestación.

El alcohol que es consumido por la madre llega a la circulación fetal y, según sus niveles, puede provocar diversas alteraciones en el desarrollo del feto. Si la ingesta alcohólica es muy elevada, se

pueden producir anomalías en la cara, el esqueleto, el corazón o el cerebro, que en conjunto constituyen el llamado síndrome alcohólico fetal.

El consumo habitual de otras drogas, como la heroína o la cocaína, no solamente puede ir acompañado de alteraciones en el desarrollo fetal, sino que también provoca una dependencia del feto, que después del nacimiento presentará un típico síndrome de abstinencia.

Es difícil establecer una dosis de alcohol inocua durante el embarazo, por lo que es recomendable que la gestante evite el consumo de bebidas alcohólicas aunque éste sea esporádico.

Durante el embarazo, algunos de los procedimientos médicos habituales que son inocuos en otras etapas de la vida pueden resultar muy perjudiciales, y afectar de una u otra manera al desarrollo fetal. Entre éstos cabe destacar el consumo de numerosos medicamentos, la administración de algunas vacunas y la utilización de radiaciones, como las utilizadas cuando se efectúan radiografías o tratamientos de radioterapia.

La necesidad de administrar medicamentos tiene que ser evaluada en cada caso, y hay que seleccionar siempre fármacos cuya utilización no implique riesgo alguno para el desarrollo del feto.

Es conveniente que la mujer embarazada evite el contacto muy próximo con animales domésticos que puedan estar infectados y sean capaces de transmitirle algunas enfermedades, como es el caso de los gatos, que pueden ser portadores del parásito que produce la toxoplasmosis.

Administración de medicamentos durante el embarazo

La lista de fármacos cuya administración durante el embarazo conlleva efectos nocivos comprobados para el producto de la gestación es larga, y todavía lo es más la de medicamentos de los que no se sabe con seguridad su inocuidad.

Muchas de las sustancias medicamentosas de uso común, administradas durante el embarazo, pueden llegar hasta el embrión o el feto a través de la circulación placentaria, y alcanzar niveles elevados que las hacen capaces de originar trastornos en el desarrollo de los tejidos y de los órganos en formación. Este peligro es mayor durante la fase embrionaria, pero en cierta forma se mantiene a lo largo de toda la gestación y ello siempre hay que tenerlo en cuenta.

Hoy en día, la conducta médica habitual es de restringir tanto como sea posible la indicación de tratamientos farmacológicos durante el embarazo, y limitarla a aquellos casos en los que resultan imprescindibles, recurriendo a la utilización de fármacos que por sus características especiales no atraviesan el filtro de la placenta y/o de los que se sepa, por disponer de una amplia experiencia de utilización en mujeres embarazadas, que en determinadas dosis no suponen ningún riesgo para el producto de la gestación.

Este hecho implica la necesidad de que cualquier mujer, cuando se encuentre ante la simple sospecha de un embarazo, evite absolutamente la automedicación, aunque se trate de fármacos aparentemente inofensivos y de uso habitual. Si la mujer está recibiendo un tratamiento médico por cualquier motivo, al quedar embarazada tiene que comunicar inmediatamente esta circunstancia al facultativo que la está atendiendo y al tocólogo, para que éstos decidan la conducta más conveniente en cada caso.

En cuanto a las vacunas, durante el embarazo está contraindicada la utilización de muchas de ellas, especialmente de las que están constituidas por virus vivos que, a pesar de ser atenuados, pueden provocar en el embrión o en el feto la enfermedad que se pretende prevenir con su aplicación.

Hay que evitar la utilización de rayos X durante el primer trimestre de la gestación, período en que se constituyen todas las estructuras orgánicas, por lo que la mujer siempre tiene que indicar al médico que la visite por cualquier motivo, el diagnóstico o la sospecha de embarazo. A partir del segundo trimestre es posible practicar

La mujer embarazada no tiene que tomar ningún medicamento que no haya sido expresamente indicado por un médico que sea conocedor de su condición de gestante.

radiografías si ello es necesario, especialmente si se explora una parte del cuerpo materno alejada del abdomen. Al final de la gestación, el uso de rayos X no conlleva peligros para el feto.

Por otra parte, la mujer embarazada tiene que evitar la exposición al contagio de enfermedades infecciosas que, aunque resulten leves para ella, pueden ser muy perjudiciales para el embrión o el feto. En este sentido, tiene que limitar al máximo el contacto con personas afectadas por enfermedades contagiosas y con animales que puedan transmitir trastornos infecciosos o parasitarios a los humanos.

La pareja y el embarazo

Para la gestante, el papel de su compañero durante el embarazo es una cuestión sumamente importante, ya que en esta época requiere una especial atención no sólo por el hecho de disponer de cooperación y apoyo en el plano afectivo, sino también desde una perspectiva emocional y psicológica. En pocos meses, la vida de la pareja experimenta una serie de cambios a los que ambos miembros tienen que ir adaptándose, sobre todo en el caso de que se trate del primer embarazo, que tendrá como consecuencia la constitución de una familia plena.

De un lado, la mujer embarazada probablemente necesitará una mayor

Es conveniente que durante el curso de la gestación el hombre se encargue de las tareas domésticas que exigen esfuerzos inadecuados para la mujer embarazada.

colaboración en lo que respecta a sus actividades cotidianas, ya que es posible que no pueda asumir las tareas que requieren esfuerzos. Y también es de máxima utilidad la ayuda del compañero en la ejecución de algunos ejercicios útiles para aligerar ciertas molestias características del embarazo y de los ejercicios que forman parte de la preparación para el parto.

Por otro lado, en el plano psicológico, hay que tener en cuenta que la gestante puede presentar notables oscilaciones emocionales, que van desde la alegría y la ilusión hasta el nerviosismo y la angustia, lo que requiere una adecuada comprensión por

parte de su compañero. Es frecuente que la mujer embarazada experimente los populares "antojos", que aunque no implican absolutamente ningún riesgo de provocar alteraciones en el feto en caso de que no se cumplan, expresan la necesidad que tiene la mujer de sentirse atendida.

Conviene que ambos miembros de la pareja se informen sobre lo que está sucediendo en el cuerpo de la mujer, que el hombre esté al corriente de las indicaciones y consejos del médico, incluso asistiendo a las visitas de control, y que participe activamente en los cursillos de la llamada tradicionalmente "preparación maternal".

Para cualquier gestante es muy importante sentirse atendida e incluso mimada, factor que su compañero tiene que tener presente, así como la importancia de su cooperación en la ejecución de los ejercicios destinados a la preparación para el parto.

Acerca de las relaciones sexuales, que en esta etapa son muy importantes para fortalecer el vínculo de la pareja, no hay ningún motivo para interrumpirlas. En algunos casos puede estar contraindicado puntualmente el coito vaginal, por indicación del médico, y en términos generales esta práctica no es aconsejable en las últimas semanas del embarazo. Pero fuera de esto, el juego sexual puede proseguir con las únicas limitaciones que implican la pérdida de agilidad y las transformaciones corporales que experimenta la mujer en cada etapa del embarazo, a las que la pareja se tiene que ir adaptando.

Trastornos y complicaciones del embarazo

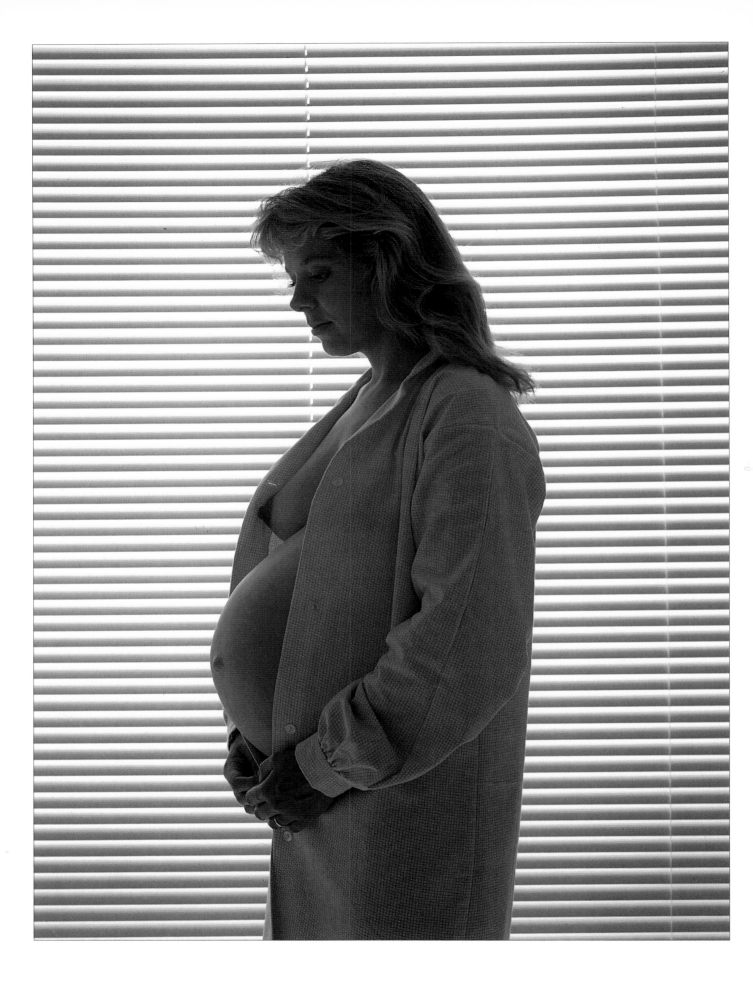

El embarazo es un proceso biológico complejo, durante el cual resulta involucrado, de una u otra manera, el funcionamiento de todo el organismo de la gestante. Esto, como es lógico, da lugar a diversas modificaciones en la actividad orgánica, más o menos espectaculares, que a veces llegan a constituir un motivo de preocupación para la misma mujer, ya que no sabe con claridad cómo considerarlas. Pero es importante, desde ahora mismo, afirmar categóricamente que el embarazo constituye un proceso fisiológico normal, que de ninguna manera puede equipararse a una enfermedad o a un estado patológico.

Sin embargo, aun teniendo en cuenta esta consideración, lo cierto es que, como consecuencia de las adaptaciones y transformaciones que experimenta naturalmente el organismo materno durante la gestación, es muy habitual que la mujer embarazada sufra algunas molestias o trastornos bastante típicos en su estado, tan comunes que se podría decir que su aparición es algo normal. No todas las mujeres embarazadas presentan todas las posibles molestias "normales" ni las experimentan con la misma intensidad, pero aun así es conveniente tener en cuenta su posible aparición, conocer su origen y también las características, así como los métodos más idóneos e inocuos para prevenir o contrarrestar las más comunes, empleando siempre recursos que no sean perjudiciales para el desarrollo del feto.

Por otra parte, es importante que se sepan distinguir los trastornos más habituales, que no tienen ninguna consecuencia negativa para el curso de la gestación, de eventuales manifestaciones o síntomas de otros trastornos que constituyen verdaderas complicaciones del embarazo, resultado de una desviación del proceso fisiológico normal. En este sentido, como norma de conducta general, resulta fundamental comentar con el médico, en las visitas de control, todas las molestias que se experimenten, para saber exactamente lo que hay que hacer, y no hay que dudar en pedir una consulta en cualquier momento si aparece algún trastorno claramente anormal, como por ejemplo una hemorragia vaginal.

Por lo que respecta al origen de las molestias y trastornos más comunes, su explicación tiene como base diferentes factores.

De un lado, durante el embarazo la placenta y los ovarios secretan cantidades elevadas de hormonas sexuales de tipos estrógenos y progesterona, cuya finalidad básica es estimular el crecimiento del útero que tiene que acoger las estructuras gestacionales, la preparación de las mamas para la producción de leche y otras adaptaciones esenciales para el mantenimiento de la gestación. Pero estas hormonas no se limitan a actuar sobre el aparato reproductor, ya que pasan a la sangre e influyen en el funcionamiento de todo el organismo, y como consecuencia de esto es posible que surjan algunas molestias.

Así, por ejemplo, la influencia hormonal sobre el aparato cardiovascular da lugar a un aumento del volumen de sangre y a una dilución de los glóbulos rojos, al mismo tiempo que a una dilatación de las paredes vasculares y el consiguiente descenso de la presión arterial; todo ello predispone a la sensación de astenia o cansancio tan común en el embarazo, y también es responsable de la retención de líquidos que puede provocar hinchazón de las piernas. Lo mismo ocurre en el tubo digestivo, ya que las hormonas provocan en el mismo una relajación de las paredes y un retraso de los movimientos, lo cual puede implicar molestias estomacales y un cierto grado de estreñimiento.

Por otro lado, a medida que avanza el embarazo, el crecimiento progresivo del útero puede dar lugar a una compresión de los órganos abdominales vecinos, como los digestivos o los urinarios, y originar una modificación funcional que es causa de molestias. No es extraño, pues, que la digestión resulte más difícil, o que la compresión de la vejiga urinaria provoque ganas de orinar con más frecuencia de lo habitual. Incluso es posible que, hacia el final del embarazo, cuando el útero está muy dilatado y ocupa toda la cavidad abdominal, el diafragma resulte desplazado y los pulmones no puedan expandirse libremente, dando lugar a una cierta dificultad para respirar. Lo mismo puede derivarse de la modificación de la estática corporal consiguiente al aumento de volumen y peso en la región abdominal, lo que constituye una sobrecarga para el aparato locomotor, responsable de los habituales dolores de espalda que sufren las mujeres embarazadas que no tienen la precaución de vigilar su postura o de hacer ejercicios que tiendan a prevenirlos. Y la compresión del útero sobre los vasos sanguíneos de la región pélvica puede dificultar el retorno de la circulación venosa desde las piernas al corazón, lo que origina una rebalsa de sangre en los miembros inferiores que conlleva el desarrollo de varices.

Los trastornos citados son algunos de los más comunes durante el embarazo, si bien cabe insistir en que no todas las mujeres los sufren o, por lo menos, no todos ellos ni con la misma intensidad. Como hemos dicho, es importante saber que, aunque no es cuestión de asumirlos con resignación y convenga adoptar las medidas oportunas para prevenirlos o aliviarlos, no hay que tomarlos como algo alarmante, puesto que son una consecuencia lógica de las profundas transformaciones que experimenta el organismo materno.

Algo muy diferente sucede con otra clase de trastornos que son estrictamente complicaciones de la gestación, responsables de posibles alteraciones del desarrollo fetal y que incluso pueden poner en peligro la salud de la mujer embarazada. El origen de estas complicaciones es diverso y en algunos casos oscuro, y sus manifestaciones, también diversas, tienen que distinguirse de las molestias habituales; por ejemplo, aunque es frecuente que la mujer embarazada presente náuseas y vómitos, cuando estas alteraciones son tan intensas que impiden una alimentación adecuada, constituyen una complicación llamada hiperémesis gravídica, que requiere un diagnóstico adecuado o tratamiento. Lo mismo sucede con el edema o acumulación de líquido en los tejidos, que aunque es habitual que provoque hinchazón de pies y tobillos, cuando es generalizado puede corresponder al inicio de una complicación grave llamada toxemia gravídica, la cual exige un diagnóstico inmediato y la adopción de medidas terapéuticas que impidan su evolución hacia fases de la alteración que pondrían en peligro la vida del feto y de la madre.

Otros síntomas que siempre hay que tener en cuenta como posibles manifestaciones de complicaciones de la gestación son las hemorragias vaginales o la aparición de dolor abdominal o de contracciones uterinas dolorosas antes de la época prevista para el parto. Si estos trastornos se presentan en el transcurso de los primeros meses del embarazo, puede tratarse de una amenaza de aborto, que conviene advertir precozmente y que requiere un control adecuado a fin de comprobar si se trata de un aborto en curso o si la pérdida del producto de la gestación se consuma, porque en caso contrario puede implicar graves repercusiones en la mujer. Lo mismo hay que decir si se trata de un embarazo ectópico, complicación caracterizada por la implantación del óvulo fecundado en un lugar que no es el normal, como puede ser la trompa uterina, ante lo cual la gestación suele resultar inviable y, si no se interrumpe a tiempo, puede poner en peligro la vida de la madre.

En la segunda fase del embarazo, las hemorragias vaginales pueden corresponder a una alteración de la placenta, el órgano materno-infantil imprescindible para la nutrición y el bienestar del producto de la gestación. Es posible que la placenta se haya desarrollado en la parte posterior del útero, lo que se llama placenta previa, y que provoque las pérdidas de sangre; en este caso, tendrá que adoptar las precauciones oportunas para que no surjan problemas en el momento del parto. También puede suceder que la placenta se desprenda prematuramente, antes de que haya llegado el momento del parto, y esto, si no se trata a tiempo, puede implicar complicaciones graves tanto para la gestante como para el feto.

En realidad, las principales complicaciones del embarazo se pueden detectar a tiempo, para evitar peligros serios, en las visitas de seguimiento. Precisamente, la finalidad de los controles médicos es constatar que todo marcha bien o, en todo caso, descubrir precozmente cualquier anomalía. Por ello todo se planifica con la periodicidad adecuada y se llevan a cabo rutinariamente diversas controles y pruebas, que pueden complementarse con otras exploraciones más complejas ante la más pequeña sospecha de complicaciones. En este sentido, no tiene que resultar extraño que a veces el médico indique que conviene seguir un control más riguroso, porque hay que descubrir cualquier alteración del normal desarrollo del embarazo tan pronto como se pueda, ya que hoy día en muchos casos es posible establecer un tratamiento que la corrija o que, como mínimo, evite las principales secuelas.

También hay que prestar una atención especial al seguimiento del embarazo cuando la gestante sufre enfermedades que pueden complicar la gestación.

En algunos casos, se trata de afecciones que la mujer puede contraer durante el embarazo, como en cualquier época de la vida, y que incluso pueden ser leves para ella pero muy perjudiciales para el desarrollo fetal. Por ejemplo, una infección vírica, como la rubeola, o una parasitaria, como la toxoplasmosis, casi no provocarán trastornos en la madre, pero pueden producir anomalías en el producto de la gestación. Otra enfermedad infecciosa muy peligrosa durante el embarazo es la sífilis, que si no se detecta y se trata de manera oportuna puede ser responsable de numerosas anomalías congénitas.

Otras veces se trata de enfermedades crónicas que la mujer ya sufría antes de quedar embarazada, y cuya evolución puede empeorar como consecuencia de las modificaciones orgánicas propias de la gestación, o que pueden implicar riesgos para el feto. Así, por ejemplo, es posible que una afección cardíaca de la madre se agrave ante el sobreesfuerzo que el embarazo implica para la actividad del corazón. Otro ejemplo muy especial es el de la diabetes *mellitus*, cuyo curso puede modificarse negativamente como consecuencia de los cambios metabólicos característicos de la gestación e incluso conllevar problemas en el desarrollo del feto o en el parto. En estos casos, habrá que planificar con mucho rigor el control, e instaurar el tratamiento más adecuado a fin de prevenir sus complicaciones, y tener en cuenta que el organismo de una mujer embarazada reacciona de una manera especial y pueden ser necesarias modificaciones de las pautas terapéuticas establecidas con anterioridad.

Finalmente, hay que destacar que si bien es importante que la mujer embarazada tenga en cuenta lo que hemos dicho anteriormente, no tiene que ser motivo de una preocupación exagerada o injustificada. La mayor parte de los embarazos evolucionan con absoluta normalidad y sólo se presentan algunos trastornos que, aunque molestos, son intrascendentes y no implican riesgos ni para la madre ni para el niño. Y si lamentablemente se produce alguna complicación, basta con ir a la consulta del médico si aparecen síntomas sospechosos y respetar las visitas de control y, así, se detectará en el momento oportuno para fijar el tratamiento adecuado y evitar riesgos innecesarios.

Trastornos digestivos

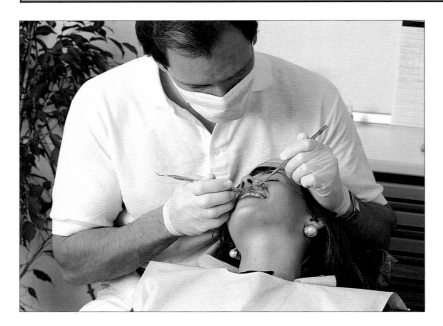

Durante el embarazo, son más frecuentes algunos trastornos de la boca, de una manera especial la inflamación de las encías o gingivitis, y también existe una mayor propensión al desarrollo de caries. Por este motivo, además de asegurar una buena dieta que incluya alimentos ricos en calcio, y de respetar una rigurosa higiene bucal, cepillando los dientes después de cada comida, es conveniente visitar al odontólogo como mínimo una vez, aunque no se advierta ninguna molestia, y cada vez que se presente algún trastorno.

Entre los trastornos digestivos más habituales durante la gestación destacan las náuseas, que a veces van acompañadas de vómitos. Suelen presentarse durante la primera época del embarazo —y entonces son tan comunes que constituyen uno de los síntomas que pueden hacer sospechar el diagnóstico de la gestación— y tienden a desaparecer hacia el final del tercer mes. El trastorno se presenta especialmente por la mañana, si bien puede mantenerse durante buena parte del día.

Generalmente, las náuseas no son muy intensas y, aunque molestas, no impiden que la

Para prevenir las náuseas que aparecen típicamente por la mañana, una fórmula eficaz consiste en tomar alguna cosa fría al levantarse, como puede ser un zumo de fruta, o bien un yogur o un vaso de agua.

mujer se alimente adecuadamente. Este factor es fundamental para considerar el trastorno dentro de los límites de la normalidad, ya que la aparición de náuseas y vómitos tan intensos y frecuentes que dificulten la nutrición de la gestante puede indicar el desarrollo de una auténtica complicación, llamada hiperémesis gravídica, que requiere un tratamiento específico. Para aliviar el estado de náuseas habitual, es conveniente que la mujer reparta los alimentos en diversas raciones pequeñas a lo largo del día, y que evite las comidas pesadas o muy condimentadas, así como los alimentos fritos.

Otra molestia frecuente es la sensación de ardor de estómago o pirosis, que puede presentarse en la primera época del embarazo y, especialmente, en los últimos meses. Su origen es el paso de jugo gástrico hacia el esófago, por el hecho de que el estómago funciona más lentamente de lo habitual y, además, resulta comprimido por el aumento de volumen del útero. Para prevenir el trastorno, es también preferible repartir las comidas en pequeñas raciones, así como evitar las posturas que favorezcan la compresión del estómago, especialmente teniendo en cuenta que no es conveniente

Los recursos más idóneos para combatir el estreñimiento consisten en mantener una actividad física adecuada, beber una cantidad suficiente de líquidos y, de una manera especial, consumir verduras y cereales completos, ricos en fibra vegetal.

acostarse después de comer. Si el trastorno es muy intenso, se puede aligerar con la administración de antiácidos indicados por el médico.

También es habitual que aparezca un cierto grado de estreñimiento, porque los intestinos están más relajados de lo normal y funcionan lentamente, y además en la segunda parte del embarazo resultan comprimidos por el útero. El trastorno se puede combatir con las medidas higiénico-dietéticas habituales, pero nunca con fármacos laxantes que no hayan sido indicados por el médico.

Trastornos cardiovasculares

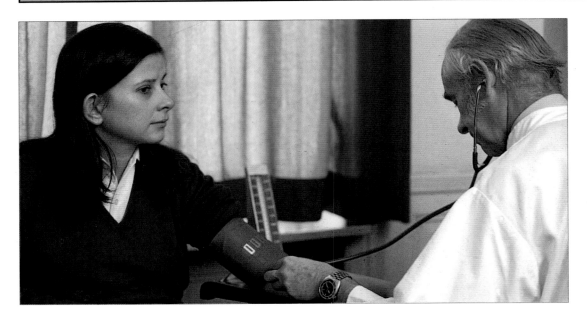

Es muy importante que durante el embarazo se lleve un control riguroso de la presión arterial, que normalmente presenta valores más bajos de lo habitual. Aunque esto puede conllevar una cierta sensación de cansancio e incluso la aparición de mareos, lo fundamental es comprobar que no sea elevada, dato que puede sugerir el desarrollo de complicaciones.

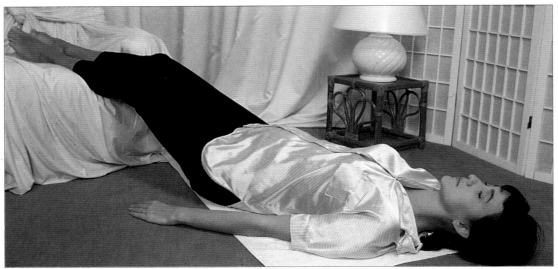

Para aliviar los edemas que se forman en los miembros inferiores y prevenir el desarrollo de varices, es conveniente favorecer el drenaje sanguíneo y facilitar el vaciado de las venas, para lo que resulta muy útil que la mujer embarazada permanezca acostada y mantenga las piernas levantadas. Así, si la gestante nota que los pies y los tobillos se hinchan, y de manera muy especial si a causa de su actividad ha tenido que permanecer mucho tiempo de pie, es muy recomendable que cuando descanse adopte esta posición.

El funcionamiento del aparato cardiovascular experimenta unas notorias modificaciones durante la gestación: los vasos sanguíneos se relajan a causa de las influencias hormonales, la circulación a nivel del útero se incrementa de manera extraordinaria, aumenta el volumen de sangre y el corazón se ha de mantener muy activo para garantizar una circulación adecuada. Ello hace que resulte muy probable la aparición de diversos trastornos.

Por ejemplo, es muy frecuente el desarrollo de edemas, que consisten en la acumulación de líquidos en los tejidos y que se manifiestan por una hinchazón de ciertas regiones corporales. Lo normal es que,

a causa de la fuerza de la gravedad, los edemas se localicen en la parte más baja del cuerpo, en los pies, los tobillos e incluso en las piernas. Si la hinchazón es exagerada y se extiende de manera notable, de forma que se presenta también en las manos y en la cara, hay que consultar al médico para descartar el desarrollo de una complicación del embarazo llamada toxemia gravídica, que se caracteriza además por un aumento de la presión arterial y por una elevada eliminación de proteínas por la orina.

También es habitual que se desarrollen varices o dilataciones de las venas en los miembros inferiores, porque las paredes de estos vasos están muy relajadas, las válvulas

Una fórmula ideal para la prevención de la formación de edemas y de varices en los miembros inferiores consiste en practicar diariamente algunos ejercicios que son muy sencillos pero que favorecen en gran manera la circulación de la sangre y evitan su estancamiento. Uno de estos ejercicios consiste en que la mujer, tumbada boca arriba y con los pies apoyados sobre una almohada dura, efectúe flexiones y extensiones sucesivas de los dedos de los pies y también de los tobillos (1), así como que mueva ambos pies hacia fuera y hacia adentro, haciendo un movimiento de rotación circular (2); lo mismo se puede hacer manteniendo las piernas extendidas y levantadas en posición vertical. Otro ejercicio muy sencillo pero muy efectivo, que se hace en posición levantada y con los pies descalzos, es ponerse varias veces de puntillas (3). Por otra parte, resulta muy beneficioso efectuar masajes suaves en las piernas, desplazando siempre las manos desde los pies en dirección hacia los muslos (4).

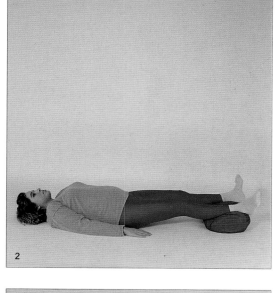

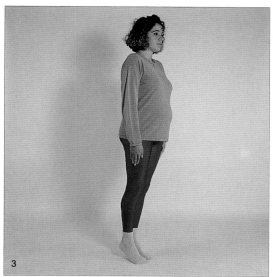

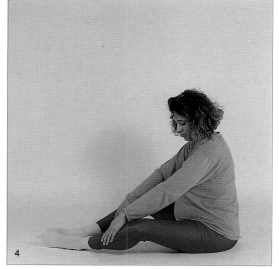

internas que regulan el flujo sanguíneo pueden llegar a fallar y, además, el drenaje venoso de las extremidades puede resultar dificultoso por la compresión que ejerce el útero sobre los troncos venosos de la pelvis. La aparición de varices es más frecuente en mujeres con exceso de peso y en aquellas que tienen antecedentes familiares, pero aun sin estos factores de predisposición no es extraño que se presenten y que provoquen no solamente alteraciones estéticas sino también un cierto grado de hinchazón y de pesadez en las piernas. Para prevenirlo, lo mejor es mantener una actividad física adecuada y evitar los factores que favorecen el estancamiento de sangre en las piernas,

como por ejemplo permanecer demasiadas horas de pie o sentarse con las piernas cruzadas, así como cualquier obstáculo al drenaje venoso, como puede ser el uso de calcetines ajustados o ligueros. A veces las varices desaparecen después del parto, pero muchas veces quedan como secuelas permanentes, y por esta razón conviene prevenir su desarrollo.

No es extraño que también se dilaten las venas del recto, lo que provoca hemorroides, proceso que es favorecido por el estreñimiento. Por ello es muy importante adoptar medidas para normalizar las deposiciones. Y si producen molestias intensas, el médico puede recetar pomadas para aliviarlas.

Si los cambios de la pigmentación cutánea son intensos en la zona de la cara, las manchas pueden disimularse mediante la aplicación de productos cosméticos específicos que serán indicados por el médico.

La aplicación de cremas y lociones que aumentan la hidratación y la flexibilidad de la piel puede ayudar a prevenir o limitar la formación de las estrías que muchas veces se producen en el abdomen, las mamas o las caderas, aunque su eficacia no es total, por lo que nunca hay que descuidar el control del aumento de peso, que si es exagerado favorece los desgarramientos cutáneos.

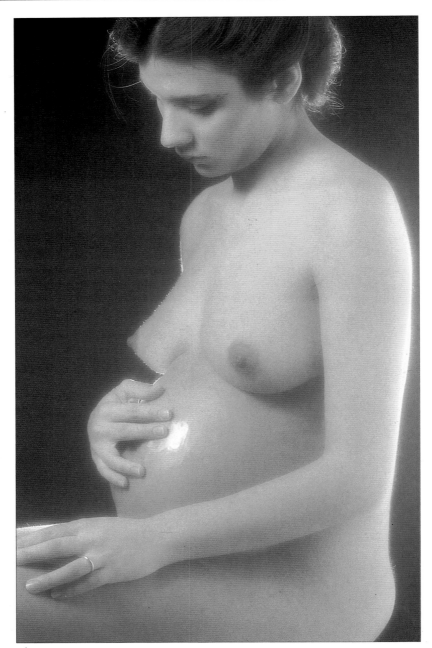

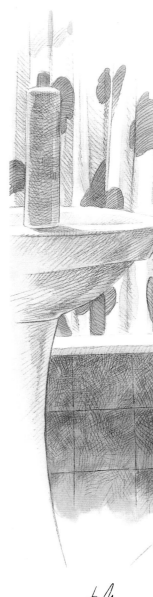

Durante el embarazo no es extraño que se formen estrías, ya que la piel pierde flexibilidad a causa del efecto de las hormonas y se puede desgarrar en las zonas del cuerpo que se distienden más. Suelen producirse hacia la mitad del embarazo, especialmente en el abdomen, las mamas, las caderas y las nalgas. Al comienzo se presentan como líneas oscuras, pero después del parto tienden a reducirse y se vuelven de color blanco. Un factor que favorece la formación de estrías es el incremento excesivo de peso, por lo que el control del mismo es la mejor manera de prevenirlas.

También es frecuente que se presenten cambios en la pigmentación de la piel, especialmente evidente en la cara, las aréolas mamarias, la línea mediana del abdomen y las cicatrices recientes. A veces, aparecen unas manchas amarillentas o marrones en la frente y en los pómulos. No hay ninguna medida inocua para impedir los cambios de pigmentación, pero después del parto la piel recupera su color normal.

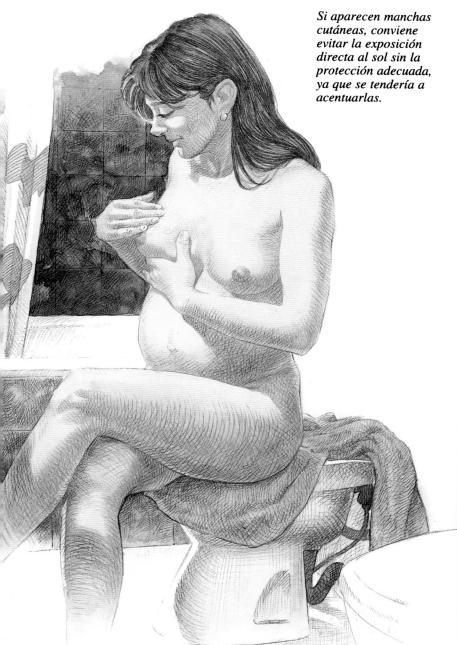

Si aparecen manchas cutáneas, conviene evitar la exposición directa al sol sin la protección adecuada, ya que se tendería a acentuarlas.

La actividad de los riñones no sufre modificaciones notables durante la gestación, pero es bastante común que se produzcan algunos trastornos de la micción a causa de la compresión que ejerce el útero dilatado sobre los órganos encargados de conducir la orina al exterior.

Es habitual que durante el primer trimestre la mujer sienta frecuente deseo de orinar, porque el útero, al crecer, presiona la vejiga urinaria y disminuye su capacidad. A partir del tercer mes la molestia se reduce, porque el útero se desplaza hacia una posición más alta, pero reaparece en la última parte del embarazo, cuando el feto encaja en la pelvis y la vejiga resulta otra vez comprimida.

También es probable que se produzcan cistitis, es decir, infecciones de la vejiga urinaria. En este caso, además de las micciones frecuentes, aparece un escozor y dificultad para orinar, y la orina se vuelve turbia. Si se produce esto, hay que pedir sin demora al médico el tratamiento oportuno.

Durante el embarazo no hay que restringir la ingestión de líquidos, porque una buena hidratación es una condición muy importante para el mantenimiento de una actividad renal adecuada.

Trastornos osteomusculares I

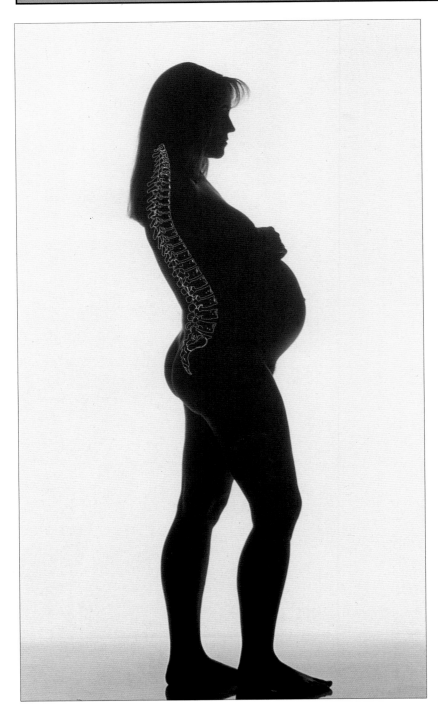

La exageración de la curvatura hacia adelante que en condiciones normales presenta la parte baja de la columna vertebral, como consecuencia del aumento de peso en la región abdominal que se produce durante el embarazo, es una fuente habitual de dolores en el sector inferior de la espalda, aunque las molestias pueden evitarse o aliviarse corrigiendo la postura y efectuando algunos ejercicios.

Es muy importante evitar cualquier factor que implique una sobrecarga inadecuada sobre la columna, como el hecho de llevar mucho peso en un solo lado.

A medida que avanza el embarazo, se producen unas modificaciones características en la distribución de los pesos y volúmenes de las diferentes regiones del cuerpo, y lógicamente esto implica una importante repercusión sobre toda la estructura osteomuscular de la gestante, cuyo cuerpo tiende a adoptar unas posturas que, si no se toman las oportunas precauciones, suelen ocasionar algunas molestias bastante frecuentes.

Fundamentalmente, el crecimiento progresivo del abdomen y de las mamas conlleva una concentración de peso en la parte anterior del cuerpo que desplaza el centro de gravedad. Para compensar esta

desproporción, la mujer tiende a desplazar hacia atrás la parte superior del tronco y la cabeza, así como a separar las piernas a fin de aumentar la base de sustentación. En definitiva, pues, la gestante adopta poco a poco una postura típica con los hombros hacia atrás y la zona inferior de la espalda hundida, exagerando las curvaturas normales de la columna vertebral. En esta posición, la columna vertebral se encuentra en realidad forzada, y los músculos y ligamentos que la sostienen se ven sometidos a una tensión desacostumbrada, lo cual suele implicar molestias y dolores de espalda, muy especialmente en la región lumbar.

Las molestias osteomusculares pueden evitarse o aliviarse mucho si la mujer se acostumbra a adoptar una postura adecuada, manteniendo la columna vertebral sin que se exageren sus curvaturas, sirviéndose para ello de la musculatura de la espalda, el abdomen y las nalgas, de manera que el peso del cuerpo descargue en la pelvis y se reparta armónicamente por las piernas.

Una buena fórmula consiste en apoyar la espalda en la pared y mantener los hombros caídos y los pies un poco separados; hay que intentar el máximo contacto con la superficie, al mismo tiempo que se estira la cabeza, como si una cuerda la tirara hacia arriba. De pie o andando, es necesario mantener los hombros caídos y hacia adelante, estirando el cuello, para que los

3

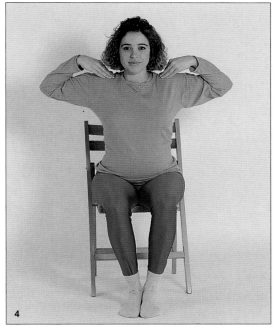

4

Ejercicios para evitar el dolor de espalda

Para que sea más fácil mantener una postura adecuada y prevenir los dolores de espalda, conviene que la mujer embarazada practique unos ejercicios destinados a relajar las zonas lumbar y cervical, así como a fortalecer la musculatura de la espalda, el abdomen y las nalgas. En las fotografías aparecen algunos de los más eficaces, que a continuación se explican:

1. Ejercicio de balanceo de la pelvis, conocido como el "gato enfadado", muy útil para aliviar el dolor lumbar. La posición inicial es "a cuatro patas", con las rodillas y las manos apoyadas en el suelo, y la espalda recta, nunca hundida (1a). En primer lugar, sin mover los codos ni las rodillas, se contraen los músculos del vientre y se arquea la parte inferior de la espalda (1b); después de unos segundos, se relaja la espalda y se vuelve a la posición inicial.

2. Ejercicio del puente, para fortalecer los músculos del vientre y de las nalgas. La posición inicial es tumbada boca arriba, con los brazos pegados al cuerpo y los pies apoyados en una superficie (2b); después de unos segundos, se bajan lentamente las nalgas hasta volver a la posición inicial.

3. Ejercicio de rotación de la cabeza. Se practica en posición sentada, con las piernas dobladas, las manos sobre las rodillas y la cabeza erguida. En primer lugar, se deja caer la cabeza hacia el hombro izquierdo, primero flexionándola al máximo y después extendiéndola, y se prosigue con un movimiento continuo hacia el hombro derecho, al principio con la cabeza estirada y después flexionándola, de manera que se complete la rotación, y se repite el movimiento unas cuantas veces.

4. Ejercicio de giro de los hombros. Se practica sentada en una silla, con el tronco erguido y la espalda apoyada en el respaldo. Se doblan los brazos y se colocan las puntas de los dedos sobre los hombros, y se hace una rotación de los hombros hacia atrás efectuando al mismo tiempo con los codos un movimiento circular, que hay que repetir diversas veces.

músculos abdominales tiendan a enderezar la columna; si los hombros se tiran hacia atrás y la parte inferior de la espalda se hunde, todo el peso recae en la columna y los talones, y puede aparecer el dolor.

Para agacharse o levantar pesos, hay que hacerlo flexionando las piernas y manteniendo la espalda recta. Al sentarse, hay que elegir un asiento que no se hunda y apoyar bien la espalda en el respaldo, con un pequeño cojín en la parte inferior. Y para acostarse, lo mejor es hacerlo de lado, colocando una almohada debajo de la rodilla que queda encima y otra debajo de las caderas.

Para aliviar el dolor de espalda, puede aplicarse calor sobre la zona, mediante una bolsa de agua caliente o una esterilla eléctrica, o bien tomar un baño tibio.

105

Complicaciones del embarazo

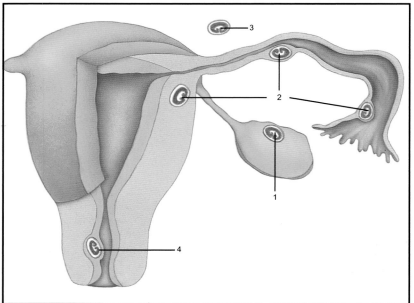

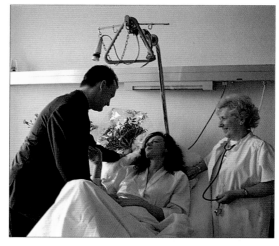

La aparición de hemorragias vaginales y de contracciones uterinas dolorosas en los primeros meses de la gestación sugiere una amenaza de aborto y entonces es

necesario respetar un descanso adecuado para que el proceso no evolucione, y a veces es preciso el ingreso en clínica para un mejor control.

Si el óvulo fecundado no se implanta en la mucosa del cuerpo del útero, como sucede normalmente, sino que se aloja en otra zona del aparato reproductor o incluso fuera de éste, se produce un embarazo ectópico, situación en la que lo más frecuente es que la gestación no llegue a término, y a veces es necesario proceder a su interrupción para evitar riesgos para la

mujer. En el dibujo se pueden observar diversos tipos de embarazo ectópico según su localización: 1, en el ovario; 2, en diferentes zonas de la trompa de Falopio (el tipo más frecuente); 3, en la cavidad abdominal; 4, en el canal del cuello uterino.

En el gráfico se puede observar que la probabilidad de aborto espontáneo es más elevada durante el primer trimestre y que disminuye a medida que avanza la edad gestacional.

El proceso de la gestación puede presentar diversas anomalías que constituyen auténticas complicaciones capaces de poner en peligro la viabilidad del feto, como es el caso del aborto espontáneo, e incluso la vida de la madre, como sucede en el caso del embarazo ectópico o de un trastorno grave llamado toxemia gravídica. Otras, como la implantación anómala de la placenta (placenta previa) o la acumulación excesiva de líquido amniótico (hidramnio), pueden alterar el curso de la gestación y del parto.

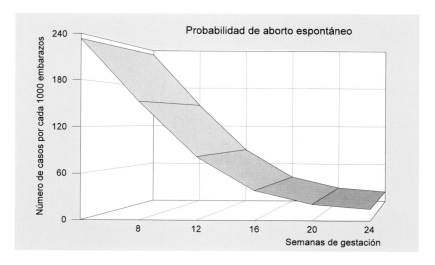

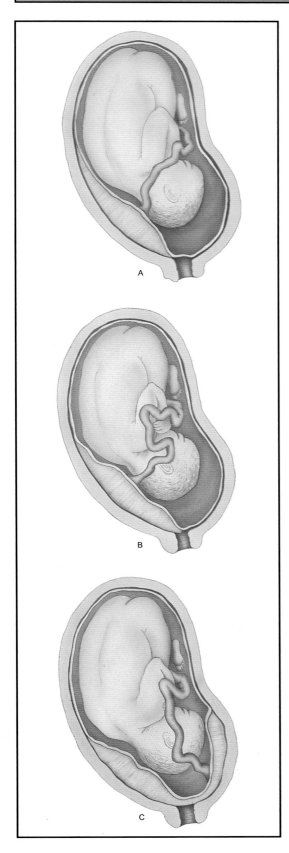

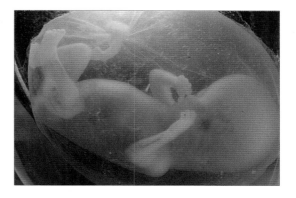

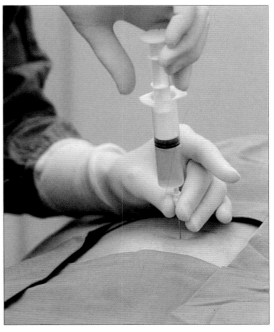

Aproximadamente en 1 de cada 200 embarazos que se producen, la placenta se insiere en el segmento inferior del útero, y llega a obstruir parcialmente o totalmente el canal del parto. Esta complicación, que se llama placenta previa, acostumbra a ser causa de hemorragias vaginales importantes durante el tercer trimestre y, dado que si se intenta un parto por vía vaginal pueden presentarse problemas, generalmente se toma la decisión de practicar una cesárea. En las ilustraciones se pueden observar diferentes localizaciones anómalas de la placenta: A, placenta previa marginal, cuando el margen inferior de la placenta llega hasta el orificio interno del canal cervical pero no lo cubre; B, placenta previa parcial, cuando la placenta cubre parcialmente la abertura del canal cervical; C, placenta previa total, cuando el orificio interno del canal cervical está completamente cubierto por la placenta.

El hidramnio es una complicación caracterizada por la acumulación exagerada del líquido amniótico donde flota el feto (arriba), y a veces es necesario proceder a su evacuación mediante una punción que se realiza a través del abdomen materno (abajo).

Es muy importante que la mujer embarazada comente con su médico cualquier tipo de anormalidad que se presente, como por ejemplo la aparición de hemorragias vaginales, y también que respete las visitas de control, en las que es posible detectar de una manera precoz las anomalías más importantes, y poder así realizar un tratamiento oportuno para intentar que el embarazo llegue a su término o, cuando esto no sea posible, para no exponer la vida de la mujer.

Diabetes y embarazo

Si la mujer embarazada es diabética, se requiere un control del embarazo un poco más riguroso de lo habitual, con el fin de practicar los análisis de sangre y de orina adecuados para determinar los niveles de glucosa, así como las exploraciones médicas y las pruebas complementarias que permitirán constatar que el feto no resulta perjudicado por la enfermedad materna. Siguiendo esta conducta y ajustando el tratamiento de la diabetes a las necesidades particulares de cada caso, los índices de complicaciones que pueden perjudicar gravemente a la madre y al feto son muy reducidos.

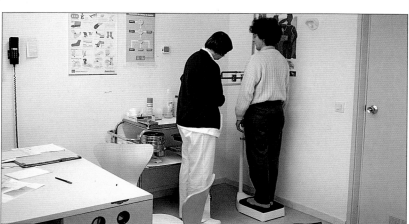

La diabetes *mellitus* es una enfermedad endocrina que tiene una interrelación compleja con el embarazo. Por un lado, sin un control adecuado, su evolución puede agravarse durante la gestación; por otro, los trastornos metabólicos que implica pueden llegar a afectar el desarrollo del feto. Tanto es así que, si no se toman las precauciones oportunas, la diabetes se asocia a una elevada mortalidad materna y fetal. En

El control del peso de la gestante es un buen indicador del crecimiento fetal, por lo que es necesario que si la mujer sufre de diabetes sea muy riguroso.

cambio, cuando se lleva a cabo un riguroso control médico del embarazo y se adapta el tratamiento de la diabetes a las exigencias de la gestación, los índices de complicaciones son bajos.

Por otra parte, hay una forma especial de la enfermedad, que se llama precisamente diabetes gestacional, que se manifiesta o se detecta por primera vez durante el embarazo. Esta situación se presenta aproximadamente en un 10% de los embarazos, especialmente durante el segundo o tercer trimestre, y sin un tratamiento oportuno puede conllevar alteraciones fetales y perinatales. Pero generalmente la situación metabólica de la madre se normaliza después del parto, si bien en una tercera parte de los casos se

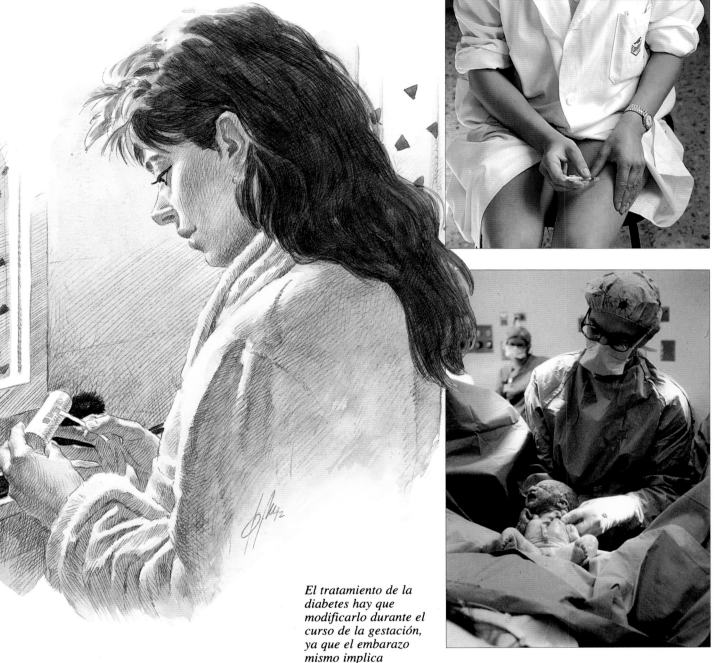

El tratamiento de la diabetes hay que modificarlo durante el curso de la gestación, ya que el embarazo mismo implica importantes modificaciones metabólicas que hacen necesario ajustar la terapia, tanto en lo que concierne a la dieta como, si es necesario, a las dosis de insulina administradas.

establece una diabetes *mellitus* en el transcurso de los diez años siguientes.

Si la embarazada sufre de diabetes, hay que ajustar el tratamiento de una forma personalizada, en base a la regulación de los niveles de glucosa mediante medidas dietéticas y a veces la administración de insulina, lo que en algunos casos requiere el ingreso hospitalario durante unos días para efectuar análisis y adaptar la terapia.

Los hijos de madres diabéticas suelen nacer con unas dimensiones y un peso superiores a lo habitual, y superan los 4-4,5 kg. Dado que un crecimiento fetal exagerado puede resultar perjudicial para el niño y supone

dificultades a la hora del parto, en algunos casos se opta por avanzar el nacimiento.

Preparación al parto

El parto constituye la conclusión natural del embarazo, un proceso que, una vez desarrollado gradualmente durante largos meses de espera, tiene un final que se podría considerar precipitado: en un período que abarca unas cuantas horas, se suceden en el organismo materno las diferentes fases que tienen como resultado el nacimiento del nuevo ser. Es un momento lógicamente anhelado para toda embarazada, ya que por fin podrá conocer y tener en sus brazos al hijo que ha ido gestando durante tanto tiempo; pero también es un momento ciertamente temido por muchas mujeres, y su espera es una fuente de angustia y de preocupación. No es nada extraño que se produzca esta contradicción, porque el parto es un acontecimiento muy especial, incomparable a otras experiencias de la vida y, a la ilusión, se contraponen numerosos interrogantes que, si no quedan aclarados adecuadamente, probablemente generen una oscura sensación de inseguridad.

Para que se pueda afrontar este acontecimiento con una actitud positiva y en las mejores condiciones, resulta de la máxima importancia que la futura madre y también el futuro padre se preparen adecuadamente. Y cuando se habla de preparación, se está haciendo referencia a aspectos muy diversos, tanto de tipo psicológico y emocional como físico, cuestiones todas ellas a tener en cuenta cuando llega el momento del parto. Por descontado, aunque no se lleve a cabo ninguna preparación especial, el embarazo seguirá su evolución normal y el parto llegará naturalmente, y lo más probable es que todo vaya bien, que no surja ningún problema. Sin embargo, si se lleva

a cabo una preparación específica, como la que se realiza en los cada vez más habituales cursos prenatales, no solamente se tendrá la seguridad de que todo está bajo control y que las posibilidades de que surjan dificultades imprevistas son realmente reducidas, sino que se podrá afrontar un acontecimiento tan importante con más conciencia de la situación, con un perfecto conocimiento de todo aquello que está sucediendo, sin que la mujer ni su compañero tengan temores injustificados y se puedan concentrar, con una actitud positiva, en la llegada del niño al mundo.

La preparación prenatal tiene, pues, diversos objetivos básicos. Por un lado, que se tengan suficientes conocimientos teóricos sobre el proceso del embarazo y el desarrollo del parto; por otro, que se consiga adquirir una buena disposición emocional para cuando llegue el parto; y, finalmente, que se consiga un entrenamiento físico adecuado para afrontarlo satisfactoriamente. Así pues, en los cursos de preparación para el parto se contemplan por un igual las vertientes teórica, psicológica y física, todas ellas factores de gran importancia para que, una vez llegado el momento, se pueda colaborar activamente en el proceso, con el control oportuno, las máximas condiciones de seguridad y las mínimas molestias posibles.

Por lo que se refiere a la información, hay que destacar que uno de los principales enemigos de la parturienta es el desconocimiento de lo que está sucediendo o, quizás peor aún, un falso conocimiento, una base teórica errónea. No es nada extraño que la mujer esté mal informada, porque en este sentido influyen notablemente los relatos, consejos, explicaciones y advertencias recibidos desde la infancia por parte de madres, abuelas y otras mujeres con "experiencia" que, juntamente con la visión habitualmente sensacionalista de narraciones y películas, suelen ser la principal fuente de conocimientos sobre este hecho trascendental. Y esto, sin duda, es lamentable, porque desgraciadamente se tiende a destacar y a describir con más detalle los episodios más desagradables, los casos en que se presentan numerosos contratiempos y dificultades, aquellos en que el acto de parir se convierte en sinónimo de sufrimiento... No se subraya demasiado, por el contrario, los partos en que todo ha ido bien, que se han vivido tranquilamente y sin sustos, con alguna molestia para la parturienta, como es lógico y natural, pero sin que esto sea tomado como una desgracia sino como algo muy secundario de lo que es más importante: el nacimiento del hijo.

Una preparación adecuada para el parto, incluye, pues, una instrucción teórica apropiada, en base a la cual la mujer pueda aprender a conocer de buena tinta la anatomía y la fisiología de su organismo, las modificaciones y transformaciones que experimenta durante el embarazo, y los acontecimientos que tendrán lugar en el parto. Esto es fundamental, por ejemplo, para que no se tome con resignación la aparición de eventuales molestias o trastornos, ya que se pueden prevenir o bien aliviar con los medios adecuados los que sean más habituales o inevitables, y para que puedan distinguirse claramente las situaciones que se desvían de la normalidad y que exigen una detección y una actuación médica oportuna.

En esta parte de la preparación también hay que tener en cuenta la información precisa para que la gestante, en su momento, pueda reconocer con seguridad el inicio del proceso, al tener un conocimiento adecuado del significado de las primeras señales o signos que anuncian el parto o que pueden acompañarlo: los cambios de situación del feto que provocan modificaciones en la forma del abdomen materno, el desprendimiento del tapón mucoso a causa de la maduración y dilatación del cuello uterino, la posible ruptura de las membranas que constituyen la bolsa de las aguas y la conducta que hay que adoptar cuando esto se produce, las contracciones típicas del preparto o "falsas contracciones" y sus diferencias con las auténticas contracciones uterinas que indican que ya se ha desencadenado el trabajo del parto... Todas estas cuestiones requieren las explicaciones oportunas, y esto exige un tiempo más largo del que se dispone en las visitas médicas de control, un clima de tranquilidad en el que se puedan dilucidar todas las dudas, la utilización de esquemas o gráficos y, por descontado, la guía de profesionales que tengan la suficiente experiencia en la materia.

De la misma manera, en los cursos de educación maternal se explican, paso a paso, las diferentes fases del parto, detallando la conducta más adecuada que hay que seguir en cada una de ellas y la forma en que mejor se puede cooperar con los profesionales que se harán cargo del proceso para que todo salga bien y se reduzcan notoriamente las probabilidades de complicaciones y de molestias. También se hace referencia a las actuaciones médicas que se llevan a cabo rutinariamente o que puede ser necesario realizar en alguna situación especial, para que, en la medida de lo posible, nada coja a la mujer por sorpresa y la desconcierte en el curso de un acontecimiento tan importante, en que se requiere la máxima serenidad posible.

Precisamente, el estado psicológico y emocional es otro punto de la máxima importancia para que se pueda afrontar el parto con tranquilidad, y por ello se insiste tanto en esta cuestión en todos los cursos de preparación. Ya hemos dicho que el parto se suele encarar con miedo, que es fruto de los condicionamientos negativos forjados a lo largo de la vida, y esto es muy perjudicial para el buen desarrollo del proceso. Por esta razón es conveniente, mediante la información y una preparación psicológica específica, conseguir un descondicionamiento de las ideas negativas que la mujer puede tener sobre el parto. Es más, resulta muy favorable programar, mediante un entrenamiento adecuado, nuevos condicionamientos, positivos, que permitan adquirir una sensación de confianza con el fin de experimentar el parto con la mejor actitud posible.

En este sentido, es importante tener en cuenta que habitualmente no sólo da miedo el parto por la posibilidad de que alguna cosa vaya mal y surjan complicaciones, sino también, y muchas veces prioritariamente, porque se tiene la seguridad de que el nacimiento de un niño implica inexorablemente dolor y un intenso sufrimiento para la madre. Así ha sido aceptado durante siglos, pero hay que destacar que, a pesar de que lógicamente un parto implica molestias, a la luz de las teorías actuales el dolor que acompaña al parto no es inevitable o, por lo menos, no tiene que ser considerado desde una perspectiva fatalista. Según estas teorías, el mismo miedo engendra un estado de tensión en el útero que está experimentando las contracciones destinadas a la expulsión del feto, y dificulta así su salida provocando o intensificando de manera desproporcionada las sensaciones dolorosas, que a su vez aumentan el miedo, y se crea de este modo un círculo vicioso que es causa de sufrimiento.

Aprendiendo a dominar el estado emocional, y consiguiendo una relajación adecuada, es posible interrumpir este círculo vicioso, lo que hace inmensamente más agradable este momento que, si no fuera por el miedo al sufrimiento, resultaría sin duda la situación más gratificante de la vida de cualquier mujer. Hay numerosos y muy diversos recursos para conseguir este objetivo, técnicas que se basan en aspectos esencialmente psicológicos, y otros que incluyen un entrenamiento físico específico para conseguir un control adecuado de la relajación neuro-muscular. No es posible, desde una perspectiva general, decantarse por un método u otro, porque lo que es más importante son los frutos y no la técnica que los hace posibles. Lo fundamental es saber que no se trata de algo abstracto, que bajo la guía de personal cualificado es posible conseguir un alto grado de autodominio y que esto seguramente constituirá una pieza clave para que el parto no resulte una experiencia traumática y se pueda vivir con plena conciencia de la situación.

La preparación física es el otro puntal básico de los cursos prenatales, y por diferentes razones. Una de ellas es, precisamente, que gracias al entrenamiento se puede conseguir un control corporal adecuado, factor que es fundamental para conseguir un estado de relajación satisfactorio, y evitar así la contracción innecesaria de músculos

que no conviene que intervengan durante el parto e incluso mejorar la funcionalidad de aquellos a los que corresponde la parte más activa.

El parto es un proceso que implica una enorme exigencia física, un desgaste que puede llegar a ser agotador si la mujer no se ha preparado apropiadamente, por lo que en los cursos prenatales se lleva a cabo un entrenamiento gimnástico. En el presente capítulo se ejemplifican algunos de los ejercicios convenientes para conseguir una preparación adecuada, muchos de los cuales probablemente reconocerán las gestantes que siguen un cursillo, porque son los más típicos. Pero cabe destacar que están incluidos a modo de ejemplo o recordatorio, porque es muy importante que se aprendan bajo las instrucciones de profesionales idóneos, que se encargarán de controlar que no haya contraindicaciones para practicarlos, indicarán la manera correcta de hacerlos, el momento y la periodicidad con que conviene efectuarlos, la progresión adecuada del esfuerzo, las precauciones oportunas en cada caso particular y otras cuestiones de este tipo que siempre hay que tener en cuenta.

Finalmente, hay otros asuntos también importantes que forman parte de la preparación para el parto, como por ejemplo los últimos detalles para tenerlo todo dispuesto para cuando llegue el momento: las cosas que hay que llevar a la clínica en el momento del ingreso, las que hay que tener a punto cuando la madre y el hijo vuelvan a casa, la habitación que ocupará el bebé, los muebles que serán necesarios... Hay que realizar todos los preparativos con suficiente antelación, escogiendo lo más conveniente con suficiente tiempo y en base a una información adecuada, y en este sentido es muy útil todo aquello que se aprende en los cursos prenatales. Lo fundamental es que, cuando finalmente llegue la hora, la futura madre y el futuro padre se encuentren bien preparados en todos los aspectos, que puedan afrontar el momento con la máxima confianza y sensación de seguridad de que todo está bajo control, de que se ha hecho lo más conveniente y de que lo más importante es mantener la mayor tranquilidad posible.

Cursos
de educación maternal

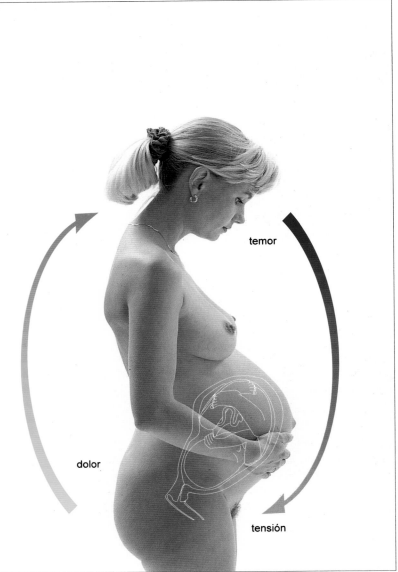

Durante milenios la gente se ha enfrentado al parto con temor al sufrimiento y con sentimientos de inseguridad, todos ellos justificados ante las frecuentes complicaciones que se presentaban. Pero actualmente, la situación ha cambiado de manera radical, puesto que el control médico que se lleva a cabo durante el embarazo y el parto proporciona las máximas garantías de seguridad, y el miedo al posible desarrollo de complicaciones inesperadas ya no está realmente justificado. Precisamente, el temor al sufrimiento crea un estado de tensión en el útero que ocasiona que las contracciones sean interpretadas en el *cerebro como estímulos dolorosos. Con la información adecuada y la utilización de alguna técnica de relajación es posible evitar el miedo y la ansiedad, lo que implica una reducción de las molestias.*

Hoy en día, una buena parte de los centros sanitarios que se dedican al seguimiento y asistencia del embarazo organizan cursos de educación maternal, conocidos también con el nombre de cursos de preparación para el parto o de instrucción prenatal. Por supuesto que no es imprescindible seguir un curso para hacer frente al parto, que es un acontecimiento natural y que, en principio, no requiere ningún tipo de "preparación", pero sí que, según la opinión de todos los expertos en la materia, es muy conveniente que, una vez llegado el momento, se disponga de unos conocimientos adecuados sobre lo que va a suceder y que se haya alcanzado un estado anímico y físico

óptimo para que todo vaya de la mejor manera posible.

Hay diversos modelos de cursos, si bien en todos ellos se siguen unas pautas muy semejantes, que incluyen una parte teórica y una parte práctica, clases participativas, donde la mujer o, todavía mejor, la pareja, pueden compartir sus experiencias y aclarar todas las dudas.

En la parte teórica se incluye una información precisa sobre la anatomía y la fisiología del aparato genital y del organismo femenino, y se explican las transformaciones que éste experimenta durante el embarazo, el desarrollo de la gestación y, como punto muy especial, el

116

La primera parte del curso de educación maternal acostumbra a dedicarse fundamentalmente a la teoría, ya que se considera de la máxima importancia que la mujer conozca aquello que está pasando en su organismo y lo que le irá sucediendo durante los meses siguientes, hasta el momento del parto, a partir de una fuente fidedigna y en un clima que le permita aclarar todas sus dudas. La segunda parte, generalmente a partir del séptimo mes del embarazo, suele centrarse más en la práctica, con la ejecución de ejercicios que tienden a preparar la pelvis, la región perineal y la musculatura abdominal para facilitar el parto, el aprendizaje de alguna técnica de relajación que permita adquirir un buen autodominio corporal, y la enseñanza de diferentes tipos de respiración que harán posible que la mujer colabore eficazmente en el desarrollo del parto.

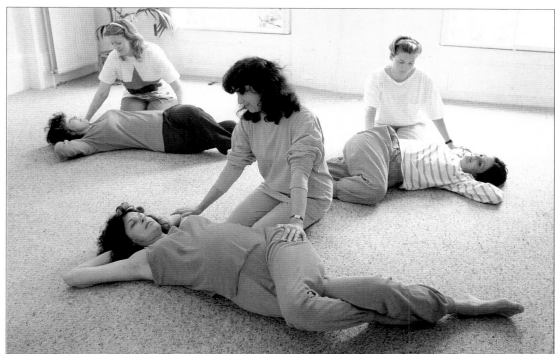

proceso del parto. Todo lo que se aprende resulta extraordinariamente útil para comprender lo que está sucediendo en el cuerpo de la mujer, el origen de las molestias más habituales durante la gestación, la forma idónea de prevenirlas o aliviarlas y, en definitiva, las normas de vida más aconsejables en este estado. Y, lógicamente, se trata de manera detallada, recurriendo incluso a la utilización de medios audiovisuales, todo aquello que tiene que ver con el parto, desde los síntomas que indican su inicio, pasando por las diferentes fases del proceso, hasta los procedimientos médicos que suelen utilizarse o que puede ser necesario aplicar.

La parte práctica incluye la enseñanza de diversos tipos de ejercicios, como los que están descritos en el resto del presente capítulo, que pueden hacerse en el mismo curso y también en casa, destinados a mejorar el estado físico de la mujer, aprender a relajarse y controlar diferentes tipos de respiración, e incluso ensayar las posiciones que podrán adoptarse para favorecer el desarrollo del parto y la manera idónea de poder colaborar activamente.

No es que haya un momento concreto para empezar el curso de preparación, aunque se aconseja hacerlo hacia el cuarto o quinto mes, cuando el embarazo resulta ya evidente.

Situarse de pie, con la espalda muy recta, los pies separados y los brazos pegados al cuerpo. Inspirar y levantar los brazos, mientras se estira la columna (A). Doblar la columna lentamente, mientras se expulsa el aire, intentando tocar el suelo con los dedos (B).

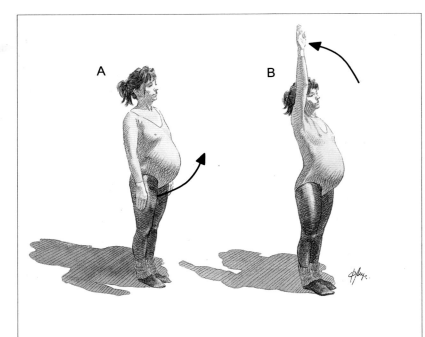

De pie, con la columna bien recta, la cabeza erguida, los pies un poco separados y los brazos pegados al cuerpo. Levantar un brazo hacia adelante, mientras se inspira (A), hasta llegar a la altura de la cabeza, y luego impulsarlo hacia atrás (B); bajarlo y volver a la posición inicial mientras se expulsa el aire de los pulmones. Repetir los movimientos con el otro brazo.

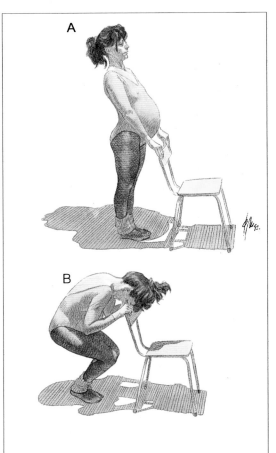

De pie, con los brazos bien extendidos y las manos apoyadas en el respaldo de una silla (A). Inspirar y, mientras se extrae el aire de los pulmones, agacharse doblando las rodillas y los codos, dirigiendo la cabeza hacia el respaldo de la silla y arqueando la espalda hacia atrás (B).

Los ejercicios ortostáticos, es decir, los que se realizan de pie, tienen diferentes objetivos, si bien su principal utilidad es la de corregir la postura y el equilibrio corporales que habitualmente se modifican de manera inadecuada durante el embarazo. Si no se hace nada para impedirlo, el aumento de volumen y peso del útero repercute fundamentalmente sobre la región lumbar de la columna y constituye causa de molestias dolorosas.

Mediante los diversos ejercicios de corrección postural se pretende que se aprenda a controlar el desplazamiento del centro de gravedad, con lo cual mejora el equilibrio y se evita que las curvas de la columna vertebral resulten exageradas; por la misma razón también es de gran importancia fortalecer toda la musculatura de la zona.

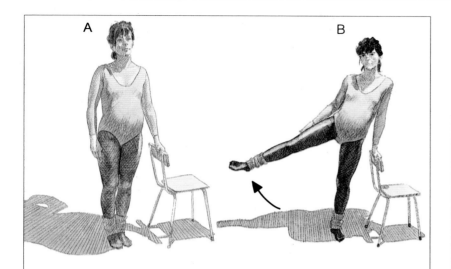

De pie al lado de una silla, con la espalda recta, la cabeza bien erguida, los pies juntos y un brazo apoyado en el respaldo (A). Inspirar y levantar la pierna lateralmente (B), y después bajarla mientras se expulsa el aire de los pulmones. Realizar el ejercicio con las dos piernas.

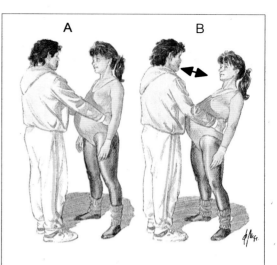

La posición inicial es de pie, con la columna bien recta y con un ayudante situado delante con las manos apoyadas en las caderas de la gestante (A). Mientras el ayudante sostiene a la mujer por las caderas, ésta se desplaza hacia adelante y hacia atrás, haciendo bascular la pelvis (B).

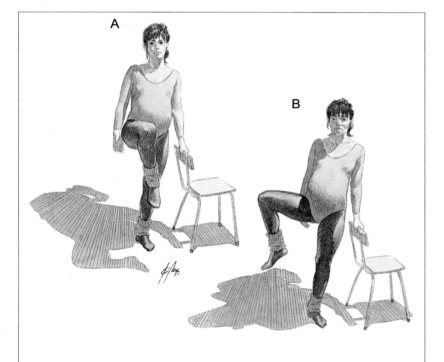

Se parte de una posición idéntica a la del ejercicio anterior. Inspirar y levantar la pierna hacia adelante doblando la rodilla (A). Mantener la pierna levantada y llevarla hacia fuera mientras se expulsa el aire de los pulmones (B). Inspirar otra vez, al mismo tiempo que se desplaza la pierna levantada otra vez hacia adelante, y espirar de nuevo mientras se recupera la posición inicial. El ejercicio se realizará con las dos piernas.

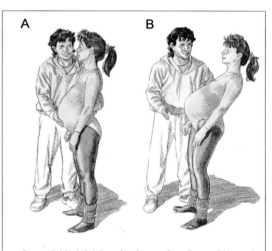

La posición inicial es de pie, con la columna bien recta; un ayudante, situado al lado de la gestante, coloca una mano sobre su abdomen y la otra sobre su espalda (A). Mientras el ayudante la sostiene firmemente, la mujer se desplaza haciendo bascular la pelvis (B).

Sentarse en el suelo en la "posición de sastre": espalda recta y piernas dobladas, con las plantas de los pies juntas y tan cerca del cuerpo como sea posible. Agarrando los tobillos con las manos, efectuar movimientos con las piernas, acercando las rodillas hacia el suelo.

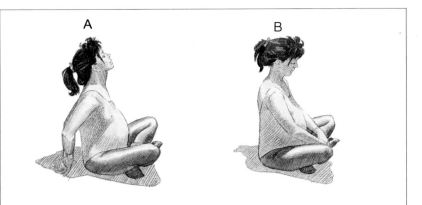

A   B

La posición inicial es sentada con la espalda recta y las piernas cruzadas, de manera que se consiga una posición que sea estable y cómoda. Inspirar y extender los brazos hacia atrás, hasta entrelazar las manos, mientras se tensa la musculatura de la espalda y se estira la cabeza (A). Mantener esta postura durante unos segundos, expulsar el aire de los pulmones y llevar los brazos otra vez hacia adelante hasta volver a la posición inicial (B).

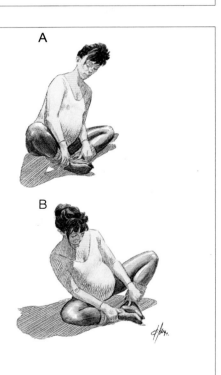

A

B

La posición inicial es idéntica a la del ejercicio anterior, agarrando los tobillos firmemente con las manos de manera que las plantas de los pies se mantengan juntas y los talones tan cerca del pubis como sea posible. Manteniendo la columna vertebral recta y la cabeza bien erguida, se efectuará un movimiento de balanceo, inclinando primero el cuerpo hacia un lado hasta que la pierna toque el suelo (A), volviendo después a la posición inicial y haciendo lo mismo hacia el otro lado (B); repetir sucesivas veces y de forma rítmica este movimiento de vaivén.

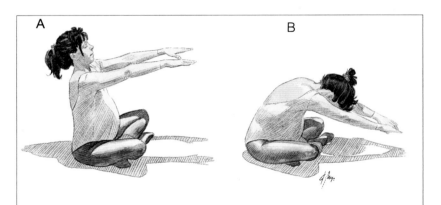

A   B

La posición inicial es idéntica a la que se ha explicado para el ejercicio anterior. Con la espalda recta y la cabeza bien erguida, extender los brazos y, mientras se inspira, llevarlos hacia arriba hasta que los dedos queden dirigidos hacia adelante (A). Mantener esta postura durante unos segundos y después, mientras se expulsa el aire de los pulmones, inclinar el cuerpo hacia adelante, doblando la cabeza y acercando las manos al suelo (B); volver a continuación a la posición de partida.

La ejercitación de la musculatura pelviperineal es de gran importancia, ya que durante la gestación está sometida a una carga desacostumbrada y espontáneamente tendría tendencia a debilitarse, por lo que su fortalecimiento brinda un mayor bienestar durante el embarazo y facilita tanto el parto como la recuperación.

Como complemento, es conveniente practicar ejercicios y movilizaciones para desbloquear las articulaciones de la pelvis, y otros destinados a aumentar la potencia de la musculatura de los muslos.

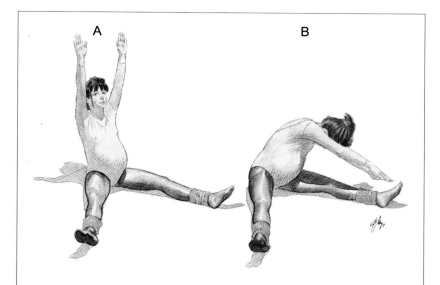

A   B

Sentarse en el suelo con las piernas estiradas y separadas. Extender los brazos hacia adelante mientras se inspira lentamente (A). Juntar las manos y, mientras se expulsa el aire de los pulmones, inclinar el cuerpo hacia adelante intentando tocar el pie (B). Volver a la posición inicial y repetir el ejercicio inclinándose alternativamente hacia un lado y hacia el otro.

A   B

Adoptar una postura cómoda sentada sobre los talones, manteniendo la espalda recta, los brazos relajados y las manos apoyadas en las rodillas (A). Inspirar mientras se impulsa el cuerpo hacia delante y se contraen firmemente los glúteos, hasta quedar de rodillas, al mismo tiempo que se extienden y se levantan los brazos por encima de la cabeza (B). Mantener esta posición durante unos segundos y a continuación expulsar lentamente el aire de los pulmones, mientras se vuelve a la posición de partida.

A

B

Ponerse a gatas, con los brazos extendidos y las manos firmemente apoyadas en el suelo. Sin mover las rodillas ni flexionar los codos, levantar la cabeza y poner la espalda recta; no tiene que quedar nunca hundida (A). A continuación, contraer los músculos del abdomen y arquear la columna vertebral (B). Repetir alternativamente estos dos movimientos.

Los músculos que forman la base de la pelvis sostienen el útero, la vagina y el recto. Se trata de un conjunto de músculos dispuestos a diferentes niveles y ángulos, cada uno de los cuales se contrae con más o menos potencia según las actividades que se desarrollan y las posturas que se adoptan; por esta razón, se requiere la práctica de diversos ejercicios para que todos ellos resulten entrenados y fortalecidos convenientemente.

Por otro lado, es muy útil aprender a controlar y a tomar conciencia de la musculatura de esta zona, punto crucial para que la mujer pueda cooperar activamente en el desarrollo del parto. Durante la fase de expulsión, la musculatura de la base de la pelvis tiene que poder relajarse adecuadamente, factor fundamental para que el feto descienda por el canal del parto.

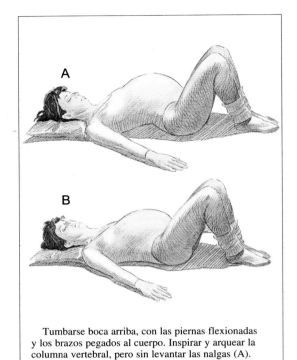

Tumbarse boca arriba, con las piernas flexionadas y los brazos pegados al cuerpo. Inspirar y arquear la columna vertebral, pero sin levantar las nalgas (A). Expulsar el aire de los pulmones, mientras se apoya la espalda en el suelo y se contrae el abdomen (B).

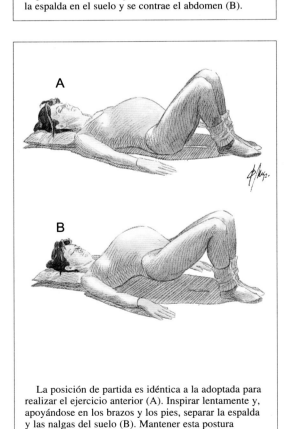

La posición de partida es idéntica a la adoptada para realizar el ejercicio anterior (A). Inspirar lentamente y, apoyándose en los brazos y los pies, separar la espalda y las nalgas del suelo (B). Mantener esta postura durante unos segundos y, a continuación, bajar poco a poco hasta adoptar la posición inicial.

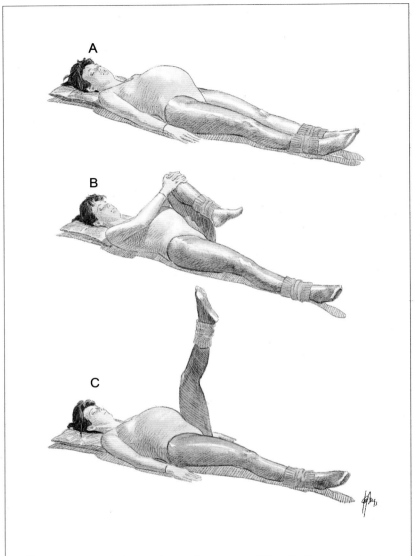

Tumbarse en el suelo boca arriba, con las piernas tendidas y los brazos pegados al cuerpo (A). Doblar una pierna y, agarrando la rodilla con las manos, acercarla hacia el cuerpo (B). Soltar la rodilla, extender la pierna y levantarla hasta ponerla en posición vertical (C); a continuación bajarla lentamente. Repetir todos estos movimientos con la otra pierna.

El perineo está formado por los tejidos que envuelven la vagina y se extiende hasta el ano. En el parto, a medida que la cabeza del feto desciende y presiona sobre la zona, el perineo se va hinchando y, más tarde, ya en el momento de la expulsión, permite que la vagina se dilate y sea posible la salida del niño. Es probable que el médico practique en esta zona una incisión, la episiotomía, para prevenir un desgarramiento.

Si se lleva a cabo una adecuada ejercitación, los tejidos de la zona perineal

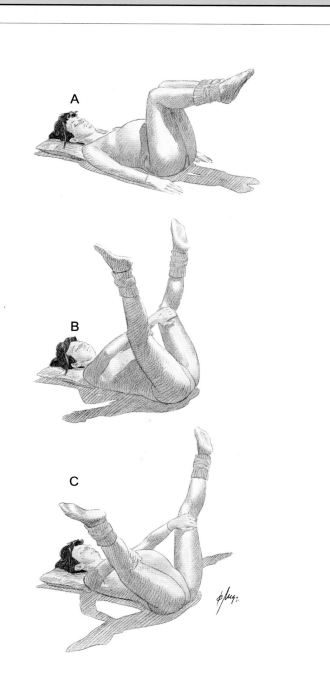

La posición de partida es idéntica a la adoptada para llevar a cabo el ejercicio anterior. En primer lugar, doblar las dos rodillas y levantar las piernas hasta que queden horizontales (A). A continuación, colocar las manos sobre la cara interna de los muslos para sostenerlos adecuadamente, y extender las piernas llevando los pies lo más arriba posible (B). Contando siempre con la ayuda de las manos, abrir y cerrar las piernas, manteniéndolas en todo momento tan extendidas como se pueda (C). Finalmente, juntar las piernas, doblarlas y bajarlas hasta volver a la posición inicial.

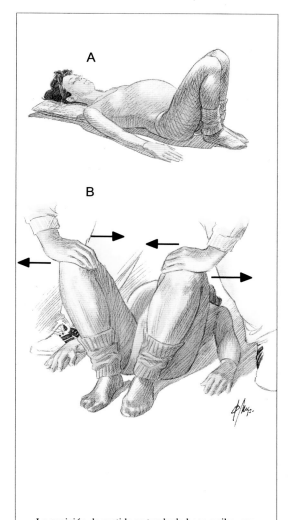

La posición de partida es tumbada boca arriba, con las piernas juntas y los brazos pegados al cuerpo. Doblar las rodillas de manera que las piernas permanezcan pegadas a los muslos y los pies apoyados en el suelo (A). Un ayudante coloca las manos sobre las rodillas de la mujer, haciendo una cierta presión para intentar mantenerlas juntas, mientras la gestante trata de vencer este obstáculo y de abrir las piernas lo más posible, pero sin que se separen los pies (B).

estarán mejor tonificados, lo que resulta útil no sólo para prevenir los desgarramientos, sino también para facilitar la recuperación de dicha zona en el postparto. Una manera de entrenar la zona perineal, además de los ejercicios específicos, consiste en contraer y relajar los músculos que envuelven la uretra y el recto, lo cual puede ensayarse durante la micción, interrumpiendo la orina y, después, una vez se ha tomado conciencia de la musculatura, repetirlo en cualquier momento y lugar.

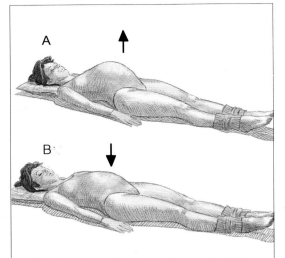

Tumbarse boca arriba con las piernas extendidas. Inspirar de manera que el vientre se hinche, pero sin levantar la espalda del suelo (A). Expulsar el aire de los pulmones lentamente, mientras se contrae el abdomen (B).

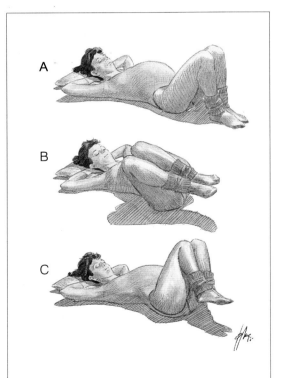

Tumbarse boca arriba, con las piernas y los brazos doblados, colocando las manos bajo la cabeza (A). Sin separar del suelo la parte superior de la espalda, levantar las piernas dobladas y, manteniéndolas juntas, efectuar un movimiento de balanceo, de manera que las piernas giren hacia un lado (B) y después hacia el otro (C).

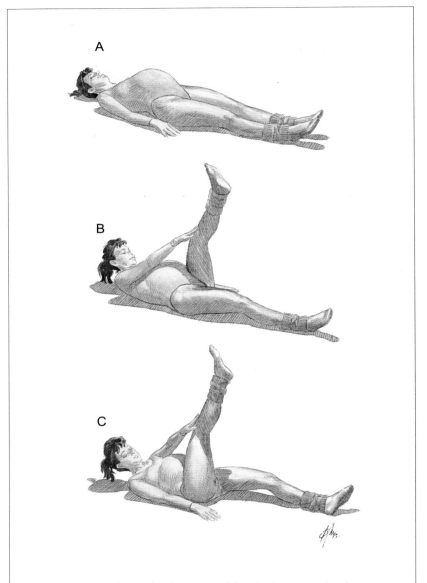

Tumbarse boca arriba, con las piernas extendidas y los brazos pegados al cuerpo (A). Levantar una pierna y, al mismo tiempo, llevar el brazo del lado contrario hacia ésta, separando la espalda del suelo y tocando la rodilla con la mano (B). Repetir toda la secuencia de movimientos con la otra pierna y el otro brazo (C).

El entrenamiento de los músculos de la pared abdominal permite que se disponga de un soporte adecuado, cuando el útero se va ensanchando y aumenta el peso en la parte delantera del cuerpo. Además, los ejercicios potencian la acción de la musculatura y la preparan para cuando llegue la fase expulsiva del parto; por otro lado, hacen posible que los músculos recuperen más fácilmente su tono en el postparto.

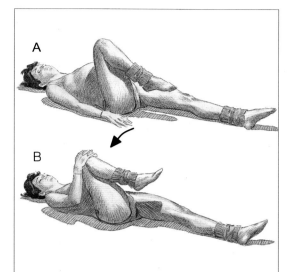

La posición de partida es idéntica a la del ejercicio anterior. Doblar una pierna y dejar la otra extendida (A). Coger la pierna doblada con las dos manos y efectuar movimientos de empuje de la rodilla hacia el cuerpo (B). Repetir la secuencia de movimientos con la otra pierna.

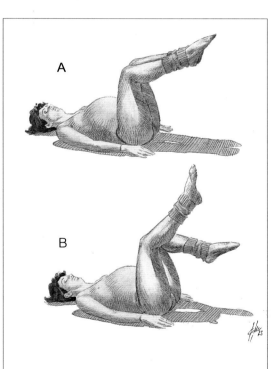

La posición inicial es tumbada boca arriba con las piernas extendidas y los brazos pegados al cuerpo. Doblar las rodillas y levantar las dos piernas (A). Extender una pierna mientras se va doblando la otra, repitiendo el movimiento típico de ir en bicicleta (B).

La posición de partida es tumbada boca arriba, con los brazos pegados al cuerpo, las piernas dobladas y los pies bien apoyados en el suelo (A).

Levantar las dos piernas y extenderlas, de manera que queden verticales, mientras se separan los brazos del cuerpo para conseguir una mayor estabilidad (B).

Sin doblar las piernas, abrirlas lentamente (C).

Bajar las piernas extendidas y abiertas lentamente, hasta que se note que la parte inferior de la espalda se separa del suelo (D).

Luego, volver a levantar las piernas hasta llegar a la vertical (E), mientras se van juntando y los brazos se acercan al cuerpo.

Finalmente, doblar las rodillas e ir bajando las piernas hasta volver a adoptar la posición inicial.

Ejercicios circulatorios y para prevenir molestias osteomusculares

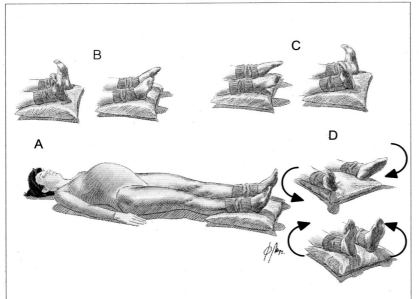

La posición inicial es tumbada boca arriba, con los brazos pegados al cuerpo, las piernas extendidas y los pies colocados sobre una superficie (A). El ejercicio consiste en flexionar y extender los dedos de ambos pies (B). Flexionar y extender ambos tobillos (C). Efectuar movimientos de rotación de los dos pies, sucesivamente hacia dentro y hacia fuera (D).

Se parte de la posición sentada, con la espalda recta, las piernas cruzadas y las manos apoyadas sobre las rodillas. Efectuar movimientos sucesivos de giro con la cabeza, llevándola primero hacia un lado y a continuación hacia el otro.

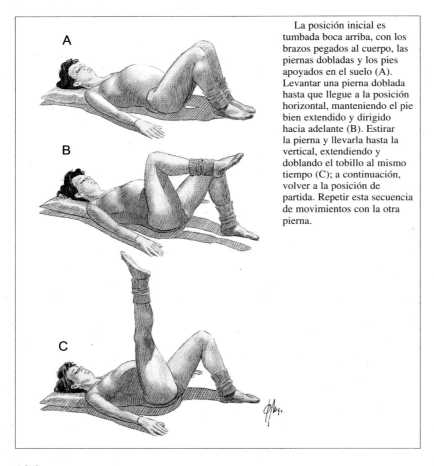

La posición inicial es tumbada boca arriba, con los brazos pegados al cuerpo, las piernas dobladas y los pies apoyados en el suelo (A). Levantar una pierna doblada hasta que llegue a la posición horizontal, manteniendo el pie bien extendido y dirigido hacia adelante (B). Estirar la pierna y llevarla hasta la vertical, extendiendo y doblando el tobillo al mismo tiempo (C); a continuación, volver a la posición de partida. Repetir esta secuencia de movimientos con la otra pierna.

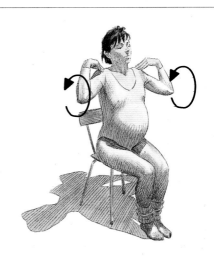

Sentarse en una silla, con la espalda bien recta y los brazos doblados, apoyando los dedos en los hombros. Efectuar un movimiento de rotación de los hombros hacia atrás, con la ayuda de un movimiento circular de los codos.

Conviene que se practiquen ejercicios que favorezcan la circulación en los miembros inferiores, ya desde el comienzo de la gestación y, de forma regular, prácticamente cada día, durante todo el embarazo.

Su objetivo prioritario es evitar la rebalsa de sangre en las venas de las piernas, factor responsable del desarrollo de varices, de la sensación de pesadez en las piernas y de la hinchazón de los pies y de los tobillos.

Las molestias osteomusculares,

Sentarse con la espalda apoyada contra una pared, los brazos relajados y las piernas extendidas y abiertas (A). Levantar los dos brazos al mismo tiempo, hasta llegar a rozar lo más posible la pared con el lado exterior de las manos (B). A continuación, apoyar el dorso de las manos contra la pared y continuar el movimiento de elevación, hasta que los brazos queden paralelos hacia arriba (C).

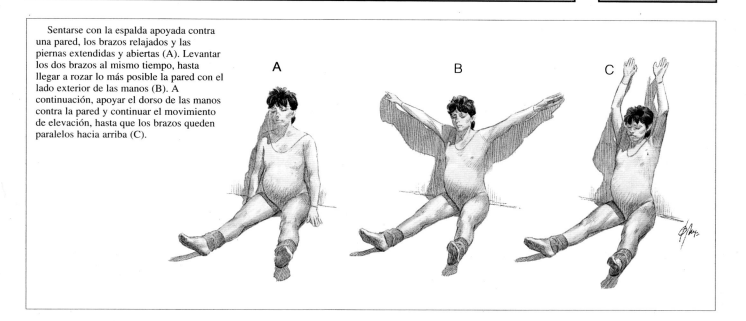

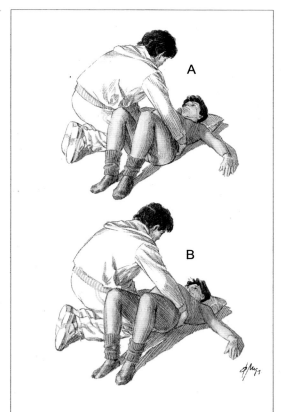

La postura inicial es tumbada boca arriba, con las piernas dobladas y los pies bien apoyados en el suelo. Un ayudante se sitúa al lado de la mujer y coloca las manos bajo sus caderas (A) El ayudante levanta las caderas de la gestante, las mantiene elevadas durante unos segundos y a continuación las baja con suavidad (B).

Sentarse en una silla, manteniendo la espalda bien recta y apoyada en el respaldo. Levantar un brazo extendido, hasta que la mano quede por encima de la cabeza. Una vez en esta posición, abrir y cerrar la mano de forma repetida durante uno o dos minutos. A continuación, realizar los mismos movimientos con la otra mano.

especialmente los dolores en la nuca, en los hombros y en la espalda, son consecuencia de la modificación de la estática corporal provocada por el aumento de volumen y de peso del abdomen y de las mamas. Una adecuada ejercitación para fortalecer los músculos y también las estructuras articulares es la fórmula idónea para corregir posturas inadecuadas y prevenir o aliviar dolores.

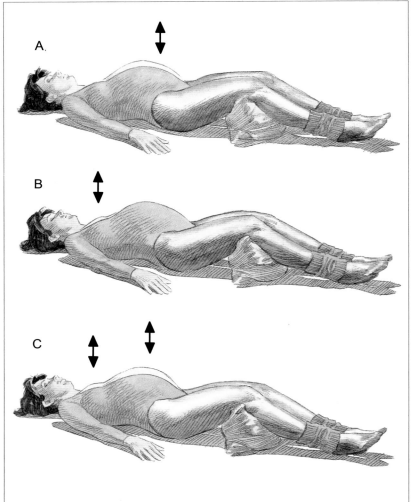

A, respiración abdominal: inspirar por la nariz, hinchando progresivamente el abdomen; espirar por la boca, contrayendo el abdomen.

B, respiración torácica: inspirar a través de la nariz, elevando el tórax; expulsar el aire por la boca, desinchando el tórax.

C, respiración combinada: inspirar por la nariz, hinchando en primer lugar el abdomen y a continuación expandiendo el tórax; espirar por la boca, deshinchando el abdomen y después el tórax.

La ejercitación de diversos patrones respiratorios es muy importante, ya que su dominio a la hora del parto, cuando hay que efectuar cada uno de ellos en cada fase según las indicaciones de los profesionales, asegura una aportación adecuada de oxígeno al feto, disminuye las molestias consiguientes a las contracciones uterinas, disminuye la tensión y permite regular la eficacia del pujo en el momento del nacimiento.

Básicamente, la mujer tiene que aprender a dominar tres tipos básicos de respiración: abdominal, torácica y combinada.

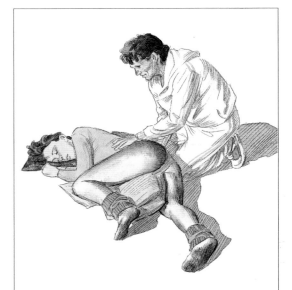

Respiración a pleno pulmón. La gestante adopta la posición indicada y un ayudante coloca sus manos más arriba de la cintura, a ambos lados. Respirar profundamente, concentrándose en la sensación de la zona en que se encuentran las manos del ayudante, que han de subir y bajar en cada respiración.

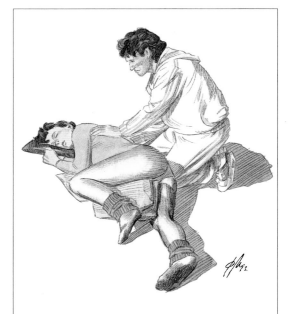

Respiración torácica. La gestante adopta la posición que se indica en la figura y un ayudante coloca sus manos sobre la parte superior de la espalda, justo debajo de los omoplatos. La mujer intenta efectuar la respiración de tipo torácico mientras el ayudante presiona suavemente con sus manos para que la gestante tome conciencia de la expansión del tórax.

La relajación constituye una herramienta fundamental para la preparación al parto, ya que permite tomar conciencia de cada parte del cuerpo y conseguir el dominio del mismo, tanto para poder aliviar la tensión como para facilitar el control de los diferentes tipos de respiración que hay que utilizar durante el trabajo del parto. Existen diferentes métodos de relajación, unos centrados en el conocimiento y la utilización de los diversos grupos musculares y otros basados en técnicas de sugestión o en algún otro procedimiento psicológico. Cualquiera de estas técnicas puede ser de gran utilidad, siempre que se aprenda adecuadamente y que se practique con regularidad.

Ensayo de la respiración torácica alta muy superficial o en mariposa, útil para evitar el pujo prematuro. Sentarse con la espalda recta y los hombros caídos y relajados, colocando las manos sobre las mejillas a fin de concentrarse en los soplos.

Ensayo de la respiración para la fase expulsiva, durante el pujo. Tumbarse boca arriba, con la cintura y las nalgas bien apoyadas en el suelo, las piernas dobladas y sujetas por las rodillas, los hombros levantados y la cabeza inclinada hacia adelante, acercando la barbilla al pecho.

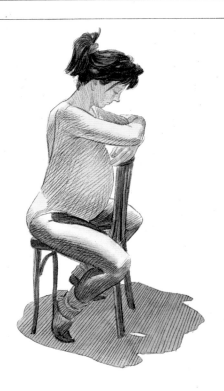

Sentarse a caballo de una silla e inclinarse hacia adelante, apoyando los brazos sobre el respaldo, de manera que el peso del feto se desplace y se separe de la columna.

Levantada, frente a una pared, con los pies separados de ésta, inclinarse hacia adelante apoyando en la misma los brazos y sobre éstos la cabeza, lo que permite al útero adoptar una forma esférica, sin que presione la columna, y al mismo tiempo aumentar la eficacia de las contracciones.

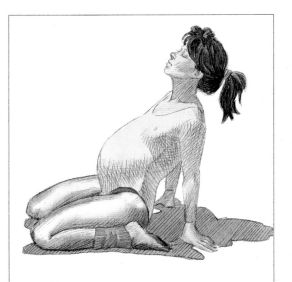

Arrodillarse e inclinarse hacia atrás, con las piernas separadas y descargando el peso sobre los brazos, lo que proporciona al feto el mayor espacio posible dentro de la pelvis y brinda las máximas facilidades para su descenso y encaje.

Ponerse a gatas, descargando el peso en las rodillas y las manos, de manera que el feto tienda a apoyarse sobre el abdomen. Esta es una posición excelente para que durante la fase de dilatación disminuyan las molestias dolorosas en la región lumbar y, además, con ella se reduce la presión sobre el cordón umbilical en el caso de que esté comprimido.

De espaldas a una superficie, colocarse en cuclillas
y sentarse encima de los talones, abriendo las piernas.
Mantener la espalda recta, apoyada en la superficie,
utilizando los brazos para conservar el equilibrio.

De espaldas a una superficie dura, sentarse con las
piernas dobladas y abiertas, de manera que los muslos
no presionen contra el vientre, y con los pies firmes
contra el suelo. Mantener la espalda recta y bien
apoyada en la superficie, sosteniendo las rodillas con
las manos.

Esta posición y la anterior sirven como un ensayo
para la fase del período de expulsión.

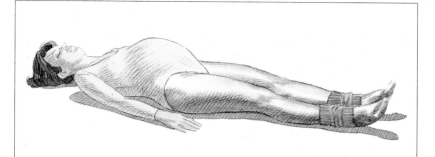

Ejercicio de pujo. Contraer y a continuación relajar los músculos de las piernas, sin
tensar los de los muslos y las nalgas. Contraer y después relajar el esfínter urinario.
Contraer la vagina durante unos segundos y después relajarla durante unos momentos.

Ejercicio para ensayar el pujo. Tumbarse boca arriba, levantar la cabeza y doblar las
piernas, sujetando las rodillas con las manos. Inspirar y retener el aire dentro de los
pulmones; contraer la musculatura abdominal y relajar la perineal.

Es muy conveniente incluir algunos
ejercicios que proporcionen un
entrenamiento específico que será
beneficioso para el momento del parto.

Por un lado, conviene ensayar algunas
posiciones que pueden ser adoptadas en
ciertas fases del proceso, especialmente
durante el período de dilatación, ya que no
hay motivo para guardar cama ni es
aconsejable permanecer acostada mientras
se espera la fase siguiente.

Por otro, es recomendable practicar, con
el control profesional adecuado, una
simulación de las contracciones, que
corresponden a contracciones del músculo
uterino, así como un ensayo del pujo, ya que
si se conoce su mecanismo se podrá
participar más activamente para facilitar
el descenso del niño durante el período
expulsivo.

Los últimos preparativos

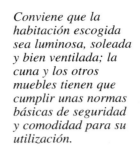

Conviene que la habitación escogida sea luminosa, soleada y bien ventilada; la cuna y los otros muebles tienen que cumplir unas normas básicas de seguridad y comodidad para su utilización.

Hacia el final del embarazo conviene disponer todo lo necesario para el momento del parto. A lo largo de la preparación ya se habrán concretado los principales detalles, y es importante dejarlo todo arreglado con antelación suficiente para poder esperar con tranquilidad evitando así la ansiedad de un posible olvido. Es difícil precisar cuándo llegará este momento, porque la duración del embarazo es variable y, además, siempre es posible que la fecha calculada se adelante; por esta razón, en términos generales, se aconseja que los preparativos empiecen ya a partir del séptimo mes y que se tenga todo preparado al comienzo del noveno mes.

La ropa para el niño hay que prepararla con la suficiente antelación, incluyendo todos aquellos elementos que se necesitarán después del parto en la clínica, así como los que se necesitarán cuando llegue a casa.

Para la clínica, hay que preparar la ropa que la mujer necesitará mientras esté ingresada y también los elementos básicos para las primeras atenciones al recién nacido. Si se tienen dudas, lo mejor es consultar en el mismo centro donde tendrá lugar el parto, especialmente en lo que atañe al material necesario para el niño, ya que generalmente se prefiere que todos los recién nacidos dispongan de un equipo similar.

Una visita previa a la clínica, si es factible, pasando por la sala de partos, es un sistema idóneo para que, llegada la hora, todo resulte familiar. Además de solicitar una lista con los elementos necesarios,

La maleta para la clínica

Para la mujer, hay que preparar todo lo necesario para una permanencia de cuatro días a una semana. Los elementos más importantes son:

* Camisones con abertura delantera si se amamantará.

* Sujetadores maternales, de algodón y de gran tamaño, discos protectores para pérdidas de leche.

* Bragas de algodón.

* Compresas higiénicas.

* Bata.

* Zapatillas.

* Material de higiene personal.

* Toallas.

* Cosméticos, si se usan.

* Libros, revistas, radio o cualquier otro pasatiempo.

* Ropa para salir de la clínica.

Para el niño, los principales elementos son:

* Camisetas de tela suave, de batista o de lino fino.

* Camisetas de algodón.

* Jerseis, de algodón o de lana según la época del año.

* Pañales triangulares de ropa y de algodón y pañales absorventes, si en la clínica no los proporcionan; conviene preparar por lo menos una docena.

* Braguitas de algodón y de plástico.

* Faldones.

* Zapatitos o calcetines.

* Toqueta o chal.

* Baberos.

* Artículos de higiene: jabón líquido, esponjas suaves, toallas suaves, peine, cepillo, polvos de talco, etc.

* Ropa de abrigo y gorrito para salir de la clínica.

Además, no hay que olvidar la documentación para los trámites de ingreso y los resultados de los análisis o pruebas que se hayan solicitado.

Algo que no hay que olvidar es planificar con el máximo detalle la manera de acceder al centro hospitalario donde se efectuará el parto, y es bueno establecer diversas alternativas por si surge algún imprevisto.

conviene indagar todos los detalles sobre los requisitos para el ingreso: si hay que llevar el carnet del seguro, una orden del médico, etc.

Por otro lado, también habrá que disponerlo todo para acoger al niño en casa. Hay que decidir qué habitación ocupará (a veces será la misma de los padres) y el mobiliario más adecuado: brizo o cuna, bañera, mesa-vestidor, armario, y en cuya elección más que las preferencias de los mayores hay que tener en cuenta, especialmente, las auténticas necesidades del pequeño, para lo que conviene orientarse sobre el tema consultando los detalles idóneos durante la preparación.

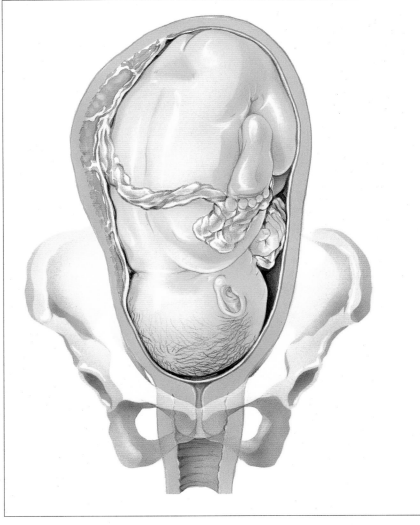

La señal que anuncia el comienzo del parto es la aparición de contracciones intensas, regulares y dolorosas, con una duración y frecuencia que aumentan de manera continuada. Mientras se espera el momento idóneo para ir a la clínica, se puede continuar con la actividad normal y adoptar una postura que alivie las molestias que acompañan a las contracciones.

En la última etapa del embarazo hay diferentes hechos que anuncian la proximidad del parto, aunque no su comienzo inmediato.

En los días previos comienzan a percibirse unas contracciones uterinas irregulares, suaves y no dolorosas, llamadas contracciones de Braxton-Hicks o "falsas contracciones", porque hay que diferenciarlas de las contracciones auténticas del parto, que son de intensidad y frecuencia creciente.

Las modificaciones que las contracciones provocan en el cuello del útero dan lugar al desprendimiento de una especie de tapón mucoso que ha estado cerrando el útero durante meses, lo que se llama "señal" y es percibido como la pérdida vaginal de una masa gelatinosa amarillenta, a veces

manchada de sangre. Esto indica que el parto se acerca, pero aún pueden faltar unas cuantas horas o incluso días.

Las verdaderas contracciones del parto comienzan con una intensidad, duración y periodicidad muy variable, por lo que conviene cronometrarlas y hacer un gráfico de las mismas. A veces aparecen series de contracciones muy espaciadas, cada veinte o treinta minutos, y de corta duración, no más de quince segundos, que se mantienen durante unas horas y después desaparecen. Esto tampoco indica el comienzo del parto.

Sólo se considera que el proceso del parto ha empezado cuando las contracciones son intensas y dolorosas, se repiten de forma insistente, su intervalo se hace cada vez más corto y su duración más larga. Si cada contracción dura más de cuarenta segundos,

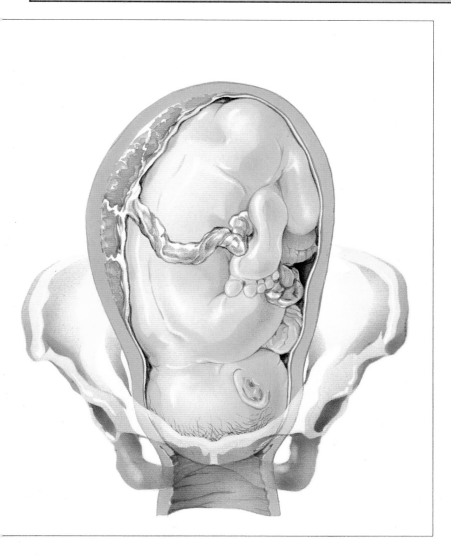

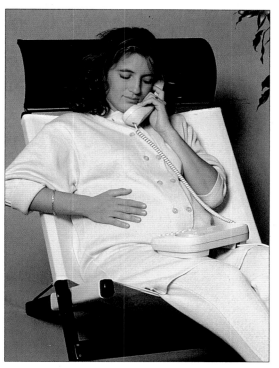

En el preparto se produce un típico cambio de la situación del feto que se llama encaje: el feto desciende por la pelvis materna y su cabeza queda fijada entre los huesos pelvianos de la mujer, que notará que baja la parte más alta del voluminoso abdomen. Los dibujos muestran la situación del feto antes (izquierda) y después (derecha) del encaje.

ello indica que el parto ya ha empezado, si bien todavía hay tiempo suficiente, por lo que hay que tomárselo con calma.

Otra señal importante es la ruptura de la bolsa de las aguas, con la salida a través de la vagina de un líquido transparente, a veces en gran cantidad y en otros casos más despacio. Si esto acaece, hay que ir a la clínica aunque las contracciones no sean frecuentes o no hayan comenzado.

Si no se produce la ruptura espontánea de la bolsa de las aguas, hay que ir a la clínica cuando las contracciones se hagan muy frecuentes y prolongadas. Para que el tiempo no sea demasiado justo, se considera prudente ir a la maternidad cuando las contracciones se repitan cada cinco minutos, o cada ocho si ya se han tenido otros hijos, aunque posiblemente falten algunas horas.

Cuando las contracciones ya se presentan con regularidad, conviene avisar al tocólogo o a la clínica. A pesar de que no hay que ir a la maternidad prematuramente, sí que hay que hacerlo con el tiempo suficiente para realizar con tranquilidad todos los trámites del ingreso.

135

El parto

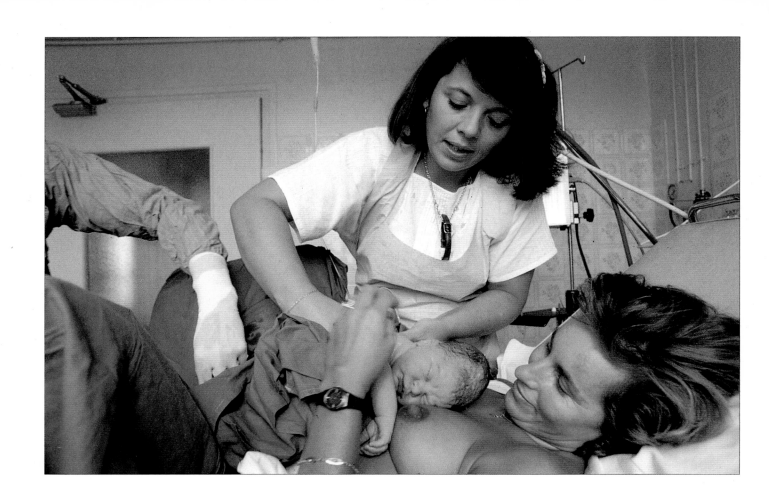

El parto corresponde al conjunto de fenómenos fisiológicos que se producen en el organismo femenino al final del embarazo y que tienen como resultado la salida del feto —con la placenta y las membranas— desde el claustro materno al exterior. Estadísticamente, se considera que este acontecimiento sucede después de 266 días de gestación, pero éste es un dato sólo aproximado, ya que es perfectamente normal que se desencadene desde unas cuatro semanas antes hasta dos semanas después de la fecha prevista y, por otro lado, existen diversas circunstancias que pueden determinar un adelanto o un retraso.

El origen íntimo del desencadenamiento del parto aún no ha sido totalmente determinado, si bien parece que hay diferentes factores que, de manera combinada, contribuyen a precipitarlo. Por una parte, a medida que el feto y las estructuras gestacionales crecen, la matriz se va dilatando, y con ello las fibras musculares de las paredes uterinas se distienden progresivamente hasta llegar a un punto en que su excitabilidad es tan grande que ante una estimulación se contraen con mucha fuerza, factor fundamental para impulsar el contenido del útero hacia el exterior. Por otra, hacia el final del embarazo se producen diversas modificaciones hormonales que incrementan la excitabilidad de la musculatura uterina y dan lugar a la aparición de las contracciones que determinan el trabajo del parto.

Es posible que, en último término, el principal motivo corresponda a la maduración del feto mismo, cuyas glándulas suprarrenales, llegado a un cierto punto, comienzan a elaborar cortisol, una hormona que actúa sobre la placenta y modifica su actividad, con lo cual hace que aumente la producción de estrógenos y que disminuya la secreción de progesterona, hormona responsable del mantenimiento del embarazo. Es como si el feto mismo anunciase que ya está preparado para enfrentarse a una vida independiente, ya que dichos cambios dan lugar a estímulos que son detectados por el hipotálamo materno, el cual empieza a producir oxitocina, hormona que pasa a la sangre del organismo femenino y provoca las típicas contracciones uterinas que se producen durante todo el proceso del parto.

Para llegar al exterior, el feto tiene que abandonar la cavidad uterina y recorrer el camino de aproximadamente 10-12 cm que lo separa de la vulva materna, el llamado canal del parto. Esta especie de conducto está formado por un canal óseo, que corresponde a la pelvis de la mujer, y un canal blando situado dentro de la anterior y constituido por la parte inferior del útero, la vagina, la vulva y la base de la pelvis. Las contracciones del útero hacen que la abertura inferior de la matriz se haga mayor, al mismo tiempo que el resto del órgano empuja al feto hacia abajo y hace que adopte diferentes posiciones y recorra poco a poco el camino que le conduce al exterior.

Si bien se trata de un proceso sin interrupción, es posible diferenciar un período previo, el preparto, en que se producen los primeros cambios de situación del feto y aparecen los síntomas que anuncian el próximo nacimiento, y el parto propiamente dicho, en el cual se pueden distinguir tres fases: la de dilatación, la de expulsión y la de alumbramiento.

Antes del comienzo del parto, las contracciones uterinas no son todavía muy intensas, pero sí que lo son lo bastante para que el feto cambie su posición y se prepare para acceder al canal que le conducirá hasta el exterior. Así, si hasta entonces el cuerpo fetal, que flota en el líquido amniótico, está situado de forma transversal dentro del útero, en el período preparto orienta su parte más voluminosa, la cabeza, hacia abajo, de manera que encaja en la pelvis materna aprovechando los diámetros máximos del canal óseo. Cuando ya comienzan las contracciones propias del parto, diversos movimientos de flexión, rotación y deflexión harán que el cuerpo fetal se acomode y ocupe el mínimo espacio posible para ir avanzando por el estrecho canal del parto.

El primer período del parto corresponde a la fase de dilatación o de abertura del cuello uterino, requisito básico para que sea posible la salida del feto por vía vaginal. Las sucesivas contracciones hacen que el cuello uterino, que en condiciones normales forma una prominencia en el fondo de la vagina y tiene una consistencia relativamente dura, se vaya acortando progresivamente y haciendo más suave, de manera que al final se allana y difumina, y viene a constituir una prolongación homogénea con el resto del órgano. Este proceso, llamado maduración del cuello uterino y que los médicos pueden constatar mediante un tacto vaginal, se acompaña de una dilatación del orificio que comunica el interior del útero con la vagina. Así, la abertura, que hasta entonces sólo tenía un par de milímetros de diámetro, comienza a ensancharse de manera progresiva.

Primero la dilatación es lenta, ya que las contracciones aún son escasas y de poca intensidad. Pasan algunas horas hasta que la abertura llega a los 3 cm de diámetro, momento en que ya puede considerarse que el trabajo del parto está plenamente activado y que se toma como referencia para admitir a la parturienta en el centro hospitalario. Pero todavía faltan unas horas más para que la fase de dilatación concluya, ya que es necesario que el orificio del cuello uterino sea de unos 10 cm para que el feto pueda atravesarlo. Ésta es, pues, la fase más larga y laboriosa del parto,

durante la cual se practican repetidamente exámenes físicos y pruebas para comprobar que todo marcha bien, al mismo tiempo que se llevan a cabo los últimos preparativos, entre los que se pueden incluir la práctica de un enema o el afeitado de la zona genital. En definitiva, la fase de dilatación constituye un período de espera, en que, si no hay contraindicaciones específicas, la mujer embarazada puede levantarse, pasear y practicar las posturas aprendidas en el cursillo de preparación para favorecer y aliviar las molestias. Cuando la dilatación se encuentra avanzada, ya es el momento del traslado a la sala de partos.

El segundo período del parto corresponde a la fase de expulsión, que abarca desde que se ha alcanzado una dilatación uterina de 10 cm, diámetro que puede ser atravesado por la cabeza fetal, hasta la salida completa del feto al exterior. Es la parte más emocionante de todo el proceso, ya que constituye el nacimiento propiamente dicho. En más del 95% de los casos el feto se encuentra en la llamada presentación cefálica, es decir, con la cabeza hacia abajo y las nalgas hacia arriba, y los brazos y las piernas doblados sobre el pecho, de manera que las contracciones uterinas, que se hacen más intensas y prolongadas y desencadenan auténticos pujos, hacen que salga al exterior primero la cabeza y después el cuerpo del bebé. En el resto de los casos, se presenta alguna posición fetal anómala, como por ejemplo la presentación podálica o de nalgas, con la cabeza orientada hacia arriba, o la presentación transversa, cuando el cuerpo del feto se encuentra perpendicular al canal del parto.

El control médico del parto permite evaluar la progresión del proceso y verificar así que el feto adopta la posición adecuada para su salida por la vagina, o bien considerar la necesidad de corregir alguna dificultad, ya sea mediante maniobras manuales o instrumentales o bien con la práctica de una operación cesárea cuando se advierte un obstáculo insalvable o cualquier otra anormalidad que resulte perjudicial para el feto o para la madre. Si todo evoluciona normalmente, los profesionales se limitan a dar las instrucciones oportunas a la parturienta, ya que su participación activa es fundamental, al mismo tiempo que posiblemente apliquen algún procedimiento para aliviar las molestias de la mujer, como puede ser una técnica anestésica, y que hagan una incisión en la región genital, llamada episiotomía, para prevenir eventuales desgarramientos de la zona cuando ya sale el niño.

Una vez finalizada la fase de expulsión, la atención se dirige hacia el recién nacido: hay que comprobar su estado, separar su organismo del materno mediante la sección del cordón umbilical y prodigarle las curas iniciales. Después de unos primeros momentos de contacto con la madre, el bebé será ya trasladado a otras instalaciones del centro, pero la mujer todavía tiene que permanecer en la sala de partos, ya que aún no ha terminado todo el proceso.

La tercera y última fase del parto corresponde a la fase de alumbramiento, en la que se produce la expulsión de la placenta y las membranas que la acompañan. Poco a poco, las contracciones que todavía continúan y se hacen incluso más intensas, aunque menos dolorosas, provocan el desprendimiento de la placenta que todavía se encuentra unida a la pared del útero. Después de unos minutos, entre 3 y 10, y con la ayuda del médico o de la comadrona que tira suavemente del cordón umbilical desde el exterior, aparecen las estructuras gestacionales, que son examinadas atentamente para comprobar que no falte un fragmento retenido en el útero. Ya sólo queda controlar que cese la hemorragia, suturar las incisiones que se hayan practicado y examinar el estado de la región genital. El parto ha terminado y la nueva madre puede ser trasladada a su habitación para que se recupere del esfuerzo.

Cabe pensar que, dado que se trata de un proceso fisiológico espontáneo, en realidad no es en absoluto necesario que el parto tenga lugar en un centro sanitario, e incluso hay gente que aboga por un parto domiciliario y "natural", sin los artificios hospitalarios. En realidad, si el parto se desarrolla sin problemas y si se adoptan todas las precauciones oportunas, es posible que todo vaya bien, pero resulta muy difícil prever con exactitud que no surgirán dificultades. Aunque el parto domiciliario se desarrolle en las más estrictas condiciones de higiene y se haya comprobado previamente que no existen condicionantes negativos, lo cierto es que el nacimiento de un nuevo ser es una situación realmente delicada y hay que tener en cuenta que pueden presentarse situaciones de riesgo para el niño o para la madre que no pueden ser atendidas con la urgencia adecuada en un entorno que no está plenamente preparado. Por este motivo, en términos generales no se considera conveniente o prudente el parto en un ambiente extrahospitalario y, en todo caso, si se opta voluntariamente por el nacimiento en el propio domicilio, hay que contar con la presencia de un tocólogo que valore paso a paso el proceso y, además, hay que prever un medio de transporte adecuado a un centro sanitario cercano que cuente con la dotación necesaria para afrontar una complicación imprevista.

En nuestro medio, desde que se ha universalizado el parto hospitalario, las cifras de morbilidad y de mortalidad materno-infantil han disminuido de manera espectacular. El control médico de todo el proceso, con la verificación continua del estado de la madre y de la situación vital del feto, garantiza que todo evolucione con normalidad y, en caso de que surja alguna complicación, que se puedan instaurar de manera inmediata las actuaciones oportunas a fin de solventarla con las máximas probabilidades de éxito.

La fase de dilatación

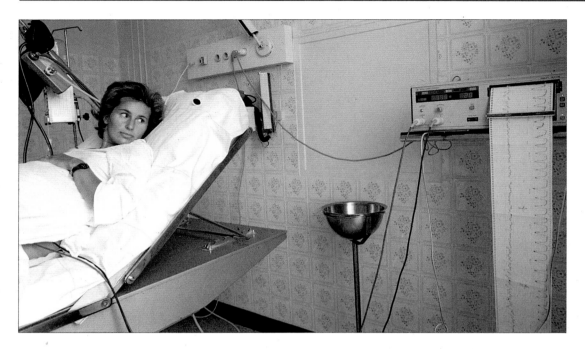

Durante la fase de dilatación se suele llevar a cabo un monitoraje de las funciones vitales del feto y de la actividad del útero materno mediante una cardiotocografía, procedimiento con el que se registran simultáneamente los latidos del feto y las contracciones del útero.

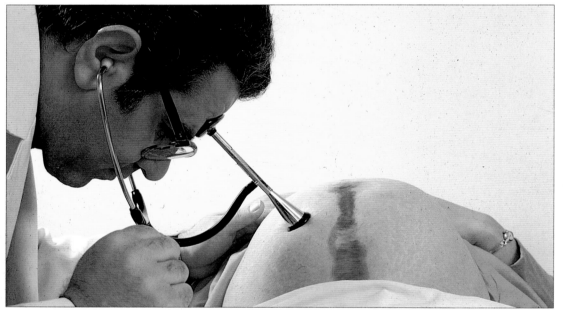

Las exploraciones físicas periódicas, que incluyen la palpación abdominal, el tacto vaginal y la auscultación del latido fetal (foto), permiten controlar la evolución del proceso hasta el momento en que se determina la conveniencia de trasladar a la gestante a la sala de partos.

La primera etapa del proceso del parto, la más larga, corresponde a la fase de dilatación, durante la cual se produce la abertura del cuello uterino, es decir, de la parte inferior del útero, cuyo canal interno comunica por un lado con el resto de la matriz y por el otro con la vagina. Este paso es esencial para que el feto, alojado en el interior del útero, pueda atravesar el canal del parto y salir al exterior.

Las modificaciones que se producen en el cuello uterino o cervical, como consecuencia de las contracciones del útero, comienzan en el período de preparto y prosiguen lentamente. Así, el cuello cervical, que en condiciones normales forma una prominencia en el fondo de la vagina, progresivamente se acorta y se allana, hasta que se hace homogéneo con el resto de la matriz y su orificio central empieza a dilatarse. Aunque los cambios se producen poco a poco, se considera que la fase de

La presencia del compañero durante esta fase del parto suele ser de gran ayuda para la mujer: unas palabras de ánimo, una carantoña, su colaboración para adoptar una posición más favorable o su cooperación para conseguir una adecuada relajación son tan importantes como los mismos procedimientos del médico o de la comadrona.

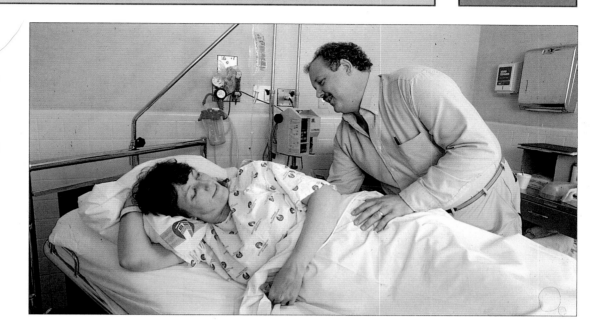

En el gráfico se puede observar la evolución de la dilatación del cuello uterino en mujeres primíparas (que afrontan el primer parto) y en mujeres multíparas (que han tenido partos previos). Se considera que la fase de dilatación comienza cuando el cuello uterino ya se ha dilatado unos 3 cm y que acaba cuando la abertura del cuello del útero llega a los 10 cm; el proceso de dilatación es más lento en las mujeres primíparas que en las multíparas.

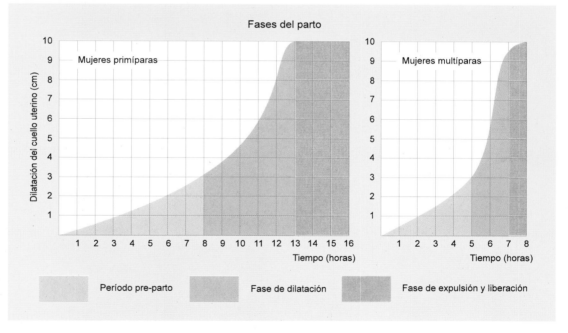

Fases del parto

Mujeres primíparas

Dilatación del cuello uterino (cm)

Tiempo (horas)

Mujeres multíparas

Tiempo (horas)

Período pre-parto   Fase de dilatación   Fase de expulsión y liberación

dilatación comienza cuando el diámetro del orificio que comunica el útero con la vagina ya es de 3 cm, y que se completa cuando llega a los 10 cm, diámetro suficiente para que sea posible la salida del feto.

La duración de la fase de dilatación es variable en cada caso, pero especialmente diferente entre las mujeres que aún no han tenido hijos y aquellas que ya han tenido otros partos previamente. Por término medio, en las mujeres primíparas el cuello

uterino se dilata entre 1 y 1,5 cm por hora y la fase se completa en unas 4 a 8 horas; en las multíparas, la dilatación se produce a razón de 2 cm por hora, y por eso el proceso es más rápido y tiene lugar en 2 a 4 horas.

Se trata, pues, de una fase de espera, en la que se hacen los últimos preparativos y se practican los controles necesarios para observar la evolución del proceso y sus repercusiones sobre el organismo fetal.

143

La sala de partos

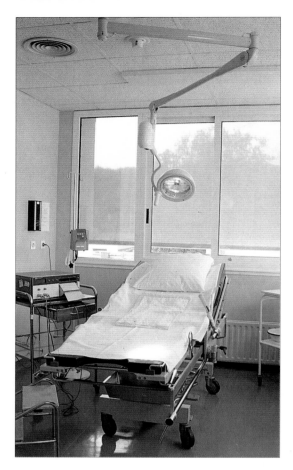

En la sala de dilatación (foto izquierda, arriba) se practican los controles que garantizan la correcta evolución del proceso hasta que, llegado a un cierto punto, se decide el traslado de la mujer a la sala de partos (foto derecha), donde se dispone de todo el equipamiento básico para la atención del parto, así como del recién nacido. En estas zonas sanitarias tan especiales se cuenta, por un lado, con los aparatos y otros elementos necesarios para registrar de manera continuada el estado del feto y, por otro, con el instrumental que se requiere para intervenir médicamente, si es necesario, en el proceso, como sucede cuando se decide aplicar un goteo intravenoso para acelerar el parto (foto izquierda, abajo).

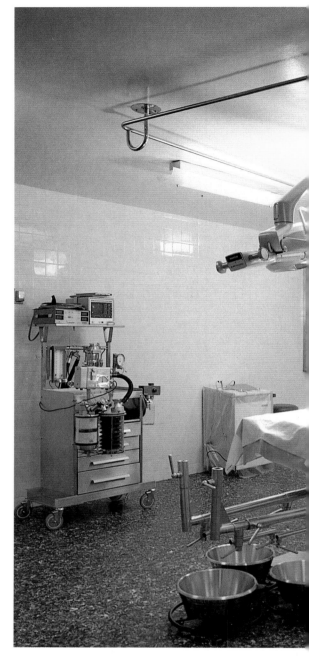

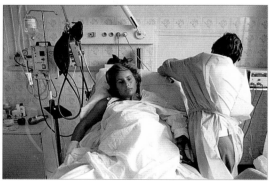

Durante la mayor parte de la fase de dilatación, la gestante puede permanecer en su habitación, incluso sin necesidad de estar en la cama excepto en los momentos en que se procede a los controles oportunos. La embarazada será trasladada a una sala especial cuando la abertura del cuello uterino sea de unos 5-6 cm, ya que es conveniente a partir de este momento controlar muy de cerca la evolución del proceso con los aparatos de registro adecuados, así como proceder a los últimos preparativos.

Cuando finalmente se ha completado la dilatación, la inminente madre es trasladada a la sala de partos, una instalación sanitaria especial donde pueden garantizarse las más adecuadas condiciones de antisepsia y donde se dispone de todo el equipo necesario para efectuar cualquier actuación médica que eventualmente pueda ser necesaria, y también para atender al recién

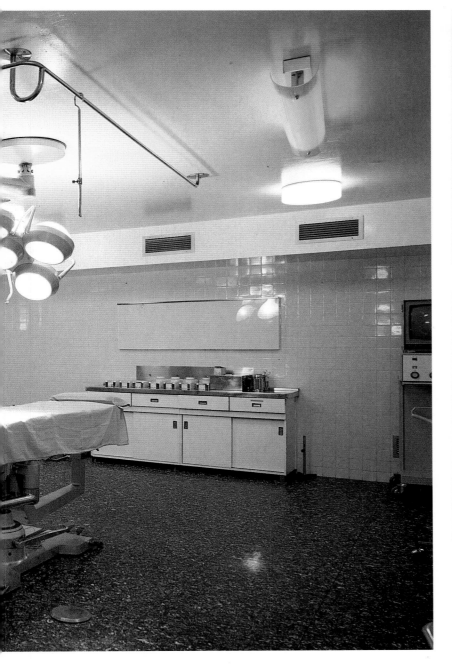

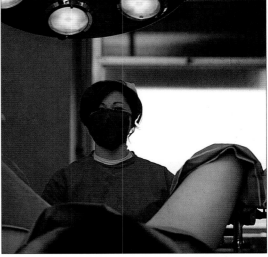

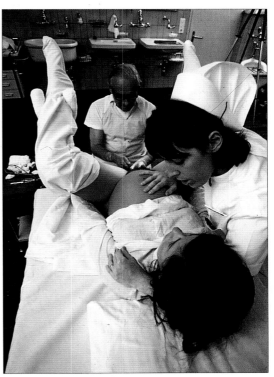

nacido en los primeros minutos de su vida.

Uno de los principales elementos presentes en la sala de partos es una cama ginecológica especial que permite a la mujer que se acueste y apoye las piernas en unos soportes, y adoptar una posición que facilite su colaboración y al mismo tiempo posibilite la actuación de la comadrona y del tocólogo.

La sala también dispone de luces, monitores y otro equipamiento básico para la atención del parto, que puede requerir la aplicación de anestesia, la práctica de alguna incisión en la zona genital, maniobras instrumentales o incluso otros procedimientos médicos por si por algún motivo se presenta algún tipo de complicación.

Por otro lado, la sala dispone de una zona destinada al control inicial del recién nacido, condicionada especialmente para llevar a cabo las valoraciones oportunas y practicar las primeras curas.

Los dispositivos disponibles en la sala de partos facilitan la labor profesional y permiten un control constante de todo el proceso con las máximas garantías.

La anestesia

Conviene que hacia el séptimo mes del embarazo la gestante visite al anestesista para informarse oportunamente sobre este tema y esté todo previsto con suficiente antelación.

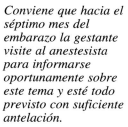

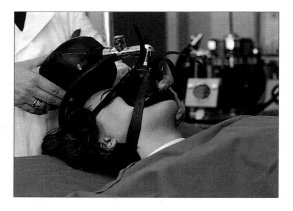

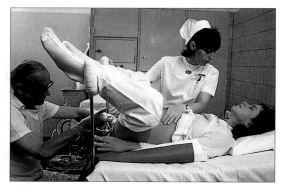

Para aliviar las molestias del parto se pueden utilizar diversas modalidades de anestesia, cada una de las cuales tiene sus indicaciones, ventajas e inconvenientes.

El método utilizado desde hace más tiempo es la anestesia general, con la aplicación de medicamentos inyectables que ocasionan una pérdida de conciencia. Su uso puede ser necesario en una situación de urgencia, por ejemplo si hay que llevar a cabo una cesárea no planificada, pero si no es indispensable es preferible evitarla, ya que presenta algunas desventajas considerables respecto a otras técnicas: por un lado, no puede mantenerse mucho tiempo, porque los fármacos pueden

Entre los diversos métodos anestésicos destacan la anestesia general (foto izquierda, centro), la anestesia epidural (dibujo central) y la anestesia paracervical (foto izquierda, abajo).

llegar hasta el feto y alterar sus funciones vitales; por otro, suprime la experiencia materna del parto.

Actualmente, se tiende a utilizar técnicas de anestesia local o regional que suprimen las molestias pero no la conciencia y que permiten que la madre participe de todo lo que sucede.

La técnica más utilizada es la anestesia peridural o epidural, con la inyección de un fármaco anestésico a través de una punción en la espalda, en el espacio comprendido entre la columna vertebral y la cubierta externa de la médula espinal, la duramáter. Con esto, el medicamento llega a las raíces

Los esquemas muestran las dos técnicas de anestesia más utilizadas en la actualidad:
1: anestesia epidural o peridural, mediante una punción en la espalda efectuada entre dos vértebras para inyectar el fármaco en el espacio que envuelve la médula espinal.

2: anestesia paracervical, mediante la inyección, a través del canal vaginal, de un anestésico local en los tejidos que envuelven el cuello uterino.

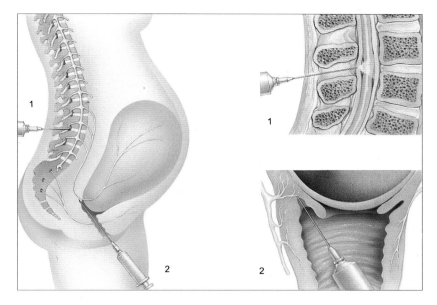

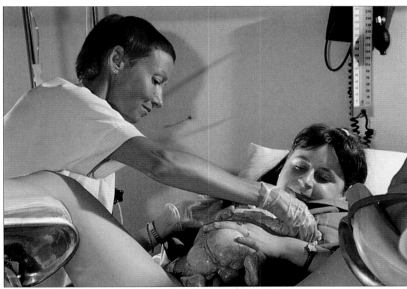

nerviosas que conducen la sensibilidad de la zona pelviana y bloquea los estímulos dolorosos. Es un método muy seguro para el feto ya que el anestésico no llega a su organismo, que insensibiliza totalmente la región pelviana de la mujer y que permite que ésta se mantenga totalmente consciente durante el parto. Como inconveniente, la parturienta deja de sentir las contracciones uterinas y éstas incluso pueden reducir su fuerza, por lo que es necesario que la mujer siga atentamente las instrucciones de los profesionales a fin de colaborar en la expulsión del feto; a veces es necesario completar la anestesia con la administración

La anestesia epidural insensibiliza a la gestante de cintura hacia abajo; suprime cualquier sensación dolorosa, pero permite que la mujer se mantenga en todo momento consciente y pueda participar activamente en el parto siguiendo las instrucciones del personal que está a su cuidado.

de estimulantes uterinos o el uso de maniobras instrumentales.

Otro tipo de anestesia es la paracervical, mediante la inyección de un anestésico local alrededor del cuello uterino. Su principal ventaja es que suprime los estímulos dolorosos únicamente a nivel del útero y no implica más repercusiones en el organismo materno. Como inconveniente, a veces llega a afectar al feto, por lo que sólo puede utilizarse si se supervisa el parto con una atenta vigilancia, para poder recurrir de forma inmediata a algún procedimiento que acelere el proceso en el caso de que surjan indicios de eventuales problemas.

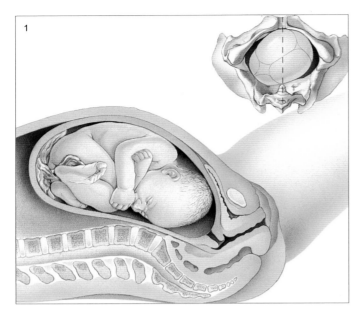

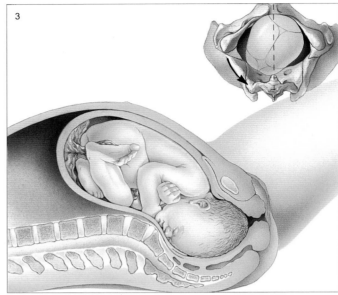

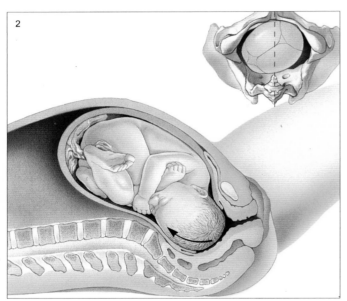

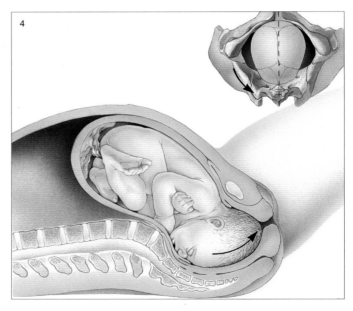

La segunda etapa del parto es la fase de expulsión, en la que el feto, gracias al impulso de las contracciones uterinas y del pujo, desciende por la pelvis materna y atraviesa el canal del parto hasta salir al exterior. Este período comienza una vez se ha completado la dilatación del cuello uterino, cuando el orificio alcanza unas dimensiones mínimas que permiten la salida de la parte más voluminosa del feto, que corresponde a la cabeza. Las ilustraciones muestran los principales movimientos que experimenta el feto en el transcurso del parto hasta que sale al exterior.

Primero, las contracciones uterinas hacen que la parte del feto situada más abajo, la cabeza, descienda y se oriente de manera que aproveche al máximo los diámetros de la pelvis materna (1).

Cuando encuentra resistencia, la cabeza fetal se dobla, y orienta hacia el exterior la parte superior y posterior del cráneo, el vértice u occipucio (2).

A medida que la fase de expulsión progresa, la cabeza fetal va modificando su posición. Primero gira unos 45º (3) y después se extiende o desvía (4), momento en que ya llega a la vulva, la entreabre y

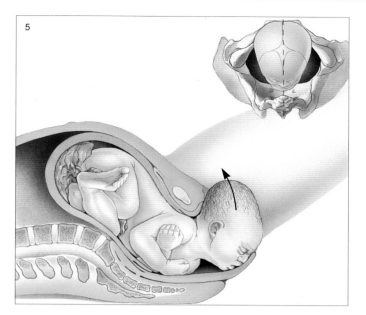

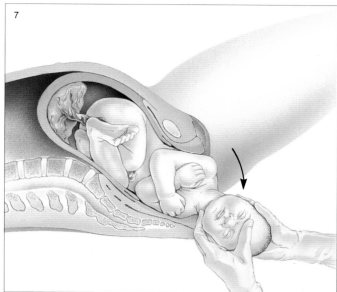

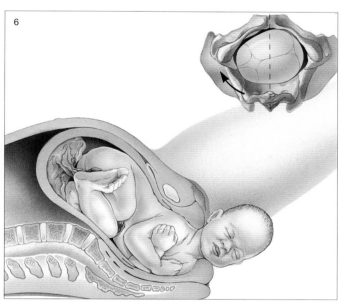

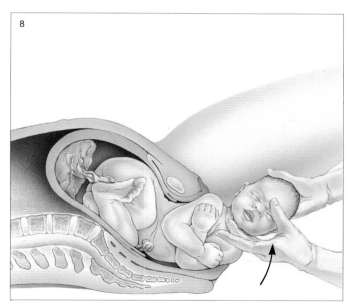

empieza a ser visible desde el exterior, en la fase que se denomina coronamiento.

Poco a poco las contracciones del útero empujan el feto hacia fuera y, a medida que el orificio vulvar se abre, la cabeza fetal va saliendo al exterior (5): primero el occipucio o coronilla, después la frente, la nariz, la boca y, finalmente, la barbilla.

Una vez que la cabeza ha salido, el cuerpo del feto gira unos 90° (6) para que sea más fácil la expulsión del tronco, de manera que un hombro queda orientado hacia arriba, por debajo del pubis, y el otro hacia abajo, por encima del coxis, con la

cara mirando hacia uno de los muslos.

Después de la rotación, se produce la salida de los hombros, cosa que sucede espontáneamente, si bien el médico puede facilitar el proceso sosteniendo la cabeza entre las manos y efectuando determinados movimientos. En primer término, desplazando la cabeza hacia abajo, se facilita la salida del hombro superior (7); después, haciendo un movimiento inverso, se facilita la salida del hombro inferior (8). Una vez han salido los hombros, el resto del cuerpo del feto es expulsado rápidamente sin dificultad.

La fase de expulsión II

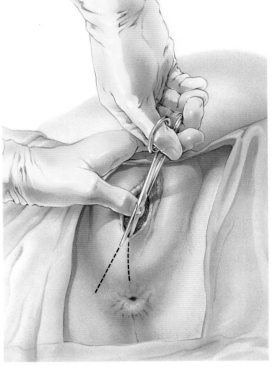

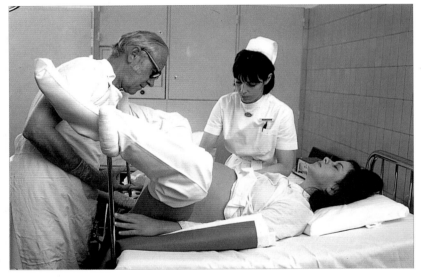

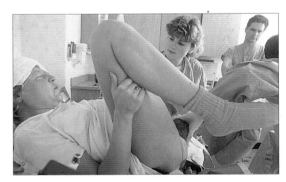

Durante la fase de expulsión, las contracciones uterinas aumentan de fuerza y de duración, de manera que se suceden cada 2 o 3 minutos y mantienen una intensidad máxima durante unos 50-60 segundos. Llegado el momento culminante, cuando el progresivo descenso del feto por el canal del parto provoca una compresión de las estructuras de la pelvis materna, se desencadena un característico reflejo llamado pujo: cuando la contracción uterina alcanza una determinada intensidad, la parturienta contrae fuertemente la musculatura abdominal al mismo tiempo que cierra las vías respiratorias, lo que impulsa el feto hacia el exterior.

Durante la fase de expulsión, se extreman las medidas de control para comprobar la vitalidad del feto, al mismo tiempo que se dan instrucciones a la mujer para que colabore activamente en el momento del pujo y se relaje entre una y otra contracción.

La duración del período expulsivo es variable, aunque por término medio oscila entre una hora y 90 minutos en las mujeres primíparas, mientras que suele ser más corto, de 40 a 60 minutos, en las multíparas. Unas veces el proceso es más corto mientras que otras se prolonga, y en estos casos puede ser necesario llevar a cabo algún procedimiento para acelerarlo.

Una vez que la cabeza del feto comienza a salir al exterior, entreabriendo la vulva, ya falta muy poco para que la salida se precipite. Después de la salida de la cabeza y de los hombros, el resto del cuerpo lo hace rápidamente y ya en 20-40 segundos se encuentra totalmente en el exterior.

150

Cuando la cabeza del feto empieza a entreabrir los labios de la vulva, se acostumbra a efectuar una episiotomía, que es una incisión que se practica en la vulva y el perineo a fin de ampliar la abertura por la que tiene que pasar el feto. No se trata de una intervención absolutamente necesaria, pero su práctica es muy habitual, ya que con ella se evita la producción de eventuales desgarramientos irregulares que podrían originar lesiones en las estructuras de la zona y por consiguiente retrasar la recuperación de la madre. Si previamente no se había efectuado una anestesia, se inyecta un anestésico local, y a continuación se procede a hacer un corte, con unas tijeras, siguiendo alguna de las direcciones que se indican en el dibujo de la izquierda con una línea de puntos. Una vez finalizado el parto, la herida quirúrgica se sutura con mucho cuidado a fin de garantizar una rápida recuperación de la región.

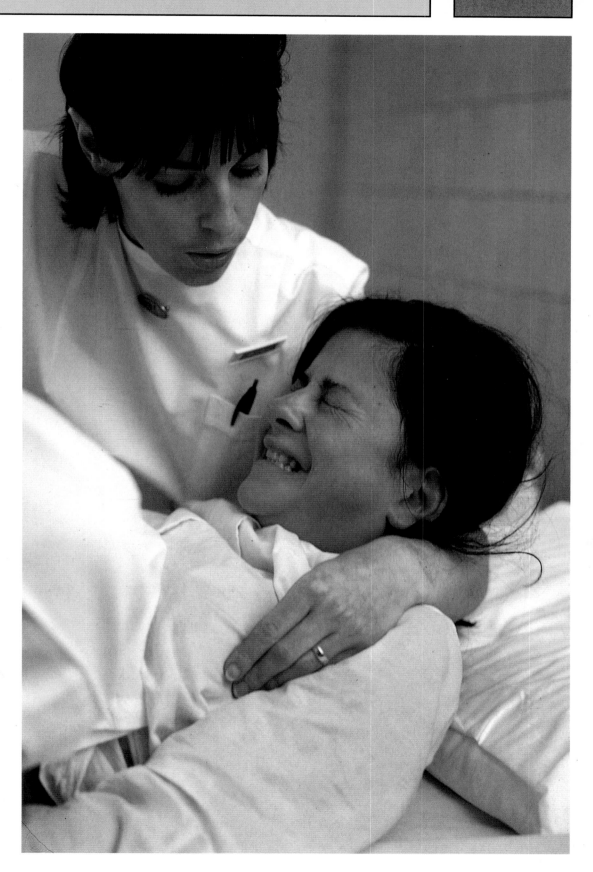

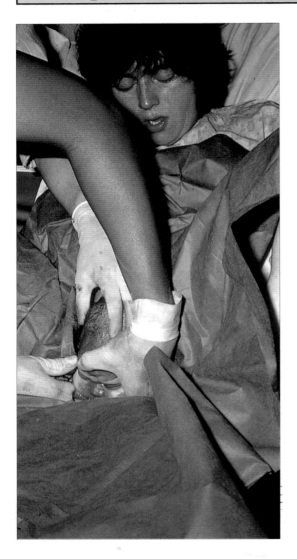

El momento culminante de la fase de expulsión es el que corresponde concretamente a la salida del feto, proceso que, si todo va bien, sólo dura unos minutos. La parte más difícil es la salida de la cabeza (foto de la izquierda), aunque ello es facilitado por las maniobras del médico, que la sostiene entre las manos y que guía sus movimientos. En este momento, es necesario que la madre mantenga el máximo grado posible de relajamiento y que siga atentamente las instrucciones que le den los profesionales que la atienden. Una vez que ya salen al exterior los hombros, el desenlace es inminente, porque a continuación el cuerpo del niño acaba de salir en menos de un minuto (foto de la derecha).

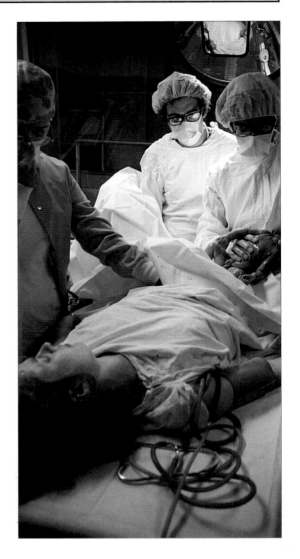

La participación activa de la parturienta, con la ayuda de su compañero y siguiendo las indicaciones de la comadrona y del tocólogo, facilita la fase expulsiva, ya que se aprovechan al máximo todos sus esfuerzos.

Actualmente, lo más habitual es que la mujer sea colocada en una cama ginecológica especial, acostada de espaldas y apoyando las piernas en unos soportes, de manera que los muslos queden doblados sobre el cuerpo y bien separados, lo cual facilita la visión del área y la labor de los profesionales.

Es necesario que la mujer, con la cooperación de su compañero, se concentre en el control de la respiración, la relajación y el pujo, ya que de ello dependerá en gran medida el desarrollo de esta fase del parto.

Cuando empieza una contracción, la mujer tiene que hacer dos respiraciones profundas y cortas de tipo torácico, concentrándose en una idea determinada, con los ojos cerrados o bien mirando a un punto fijo, y tratando de mantener la máxima relajación de los miembros y de la zona perineal.

Cuando la contracción llega a la máxima intensidad, tiene que hacer una respiración de tipo combinado, abdominal y torácica, bloqueando la salida del aire y reteniéndolo tanto como pueda, mientras ayuda a empujar al feto cuando aparece el pujo irguiendo la parte alta del cuerpo y curvando los hombros, agarrándose en los propios muslos o tirando con fuerza de los barrotes de que disponen a este efecto los lados de la mesa. En el momento en que ya no puede evitar la espiración, tiene que contraer la musculatura abdominal y expulsar el aire, y volver a repetir el ciclo.

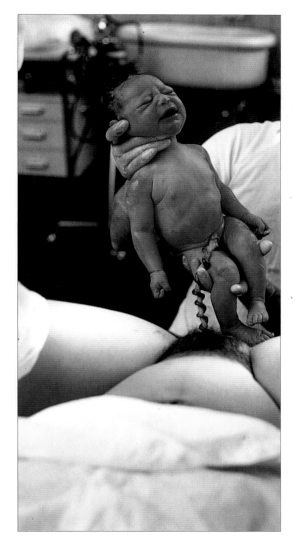

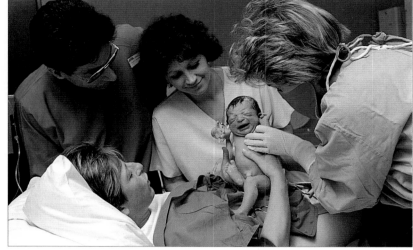

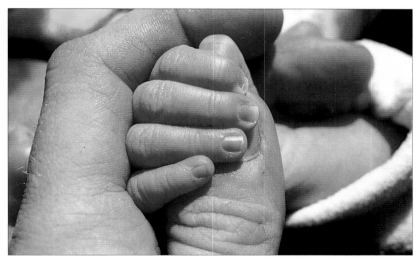

Es muy importante que el esfuerzo sea realizado en el momento idóneo, mientras persiste la contracción, y que se adopte una actitud relajada cuando ésta acaba, pasando a efectuar unas cuantas respiraciones profundas y lentas de tipo abdominal y manteniendo después una respiración normal hasta que aparezca una nueva contracción. Cada pausa entre contracciones permite una recuperación de las fuerzas, y es muy importante que la mujer se relaje profundamente, ya que con ello el músculo uterino puede recuperarse y, además, se incrementa la oxigenación del feto.

Cuando el feto empieza a salir, el pujo hay que efectuarlo de una forma muy controlada, ya que si la salida es muy brusca se pueden producir lesiones en la

Una vez se ha completado el período expulsivo, es el momento de concentrar la atención en el pequeño. Después de una inmediata y corta revisión de su estado, ya puede entrar en contacto con la madre, momento de máxima emotividad en que la mujer podrá por fin acariciar a su hijo y sentir una sensación incomparable que sin duda constituirá la máxima recompensa del esfuerzo realizado con anterioridad.

región vulvar. Es habitual que el médico solicite a la parturienta que deje de hacer fuerza, aunque tenga ganas de hacerlo, y que en cambio se concentre en relajar todo el cuerpo y muy especialmente el perineo, ya que así se facilitará la salida del niño y se evitará la realización de maniobras para conseguir este objetivo.

Una vez concluido el período expulsivo, la mujer y su compañero ya podrán concentrarse en el bebé, todavía unido a la placenta por el cordón umbilical, y que será separado definitivamente al cabo de unos minutos. Cada vez es más habitual que, después de comprobar que el recién nacido se encuentra en perfecto estado, se permita un contacto directo entre madre e hijo, antes de continuar con las curas iniciales al bebé.

Los primeros momentos de la vida del recién nacido

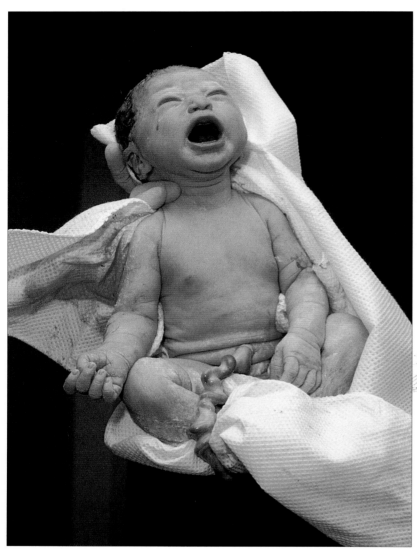

Es habitual que las primeras respiraciones vayan acompañadas de un llanto vigoroso que, si bien no es imprescindible, resulta de utilidad para alcanzar la máxima expansión de los pulmones y, por otra parte, pone de manifiesto la vitalidad del bebé en sus primeros momentos de vida.

En los momentos siguientes a la fase expulsiva, si bien el pequeño ya se encuentra totalmente en el exterior, todavía sigue conectado al organismo materno por el cordón umbilical unido a la placenta que se encuentra retenida en el interior del útero y que continúa latiendo. Después de nueve meses en que ha ido recibiendo los nutrientes y el imprescindible oxígeno de su madre, ahora tiene que empezar a valerse por sí mismo, por lo cual en su organismo se producen diversos cambios, entre los que destaca su primera respiración.

A medida que la placenta comienza a desprenderse de la pared uterina, se interrumpe el intercambio de gases entre la sangre del niño y la de la madre. En el organismo del recién nacido descienden los niveles sanguíneos de oxígeno y aumentan los de dióxido de carbono, y esto provoca un estímulo en el cerebro que desencadena los primeros movimientos respiratorios. Los pulmones, que durante la gestación han sido ocupados por líquido, se expanden y permiten así la entrada de aire. Es habitual que a esto acompañe el llanto, pero no se trata de algo imprescindible, por lo que en la actualidad ya no se acostumbra a recurrir a los típicos golpecitos en las nalgas como era norma antiguamente; es preferible estimular al bebé mediante unas caricias. En cualquier caso, si todo va bien, la respiración acostumbra a iniciarse dentro de los 30 segundos posteriores al nacimiento.

Para separar definitivamente al bebé de su madre se interrumpe su comunicación con la

Inmediatamente después del nacimiento, el niño puede ser depositado sobre el pecho de su madre, donde podrá notar su calor y sentir los latidos a cuyo ritmo se ha ido acostumbrando durante los nueve meses de gestación.

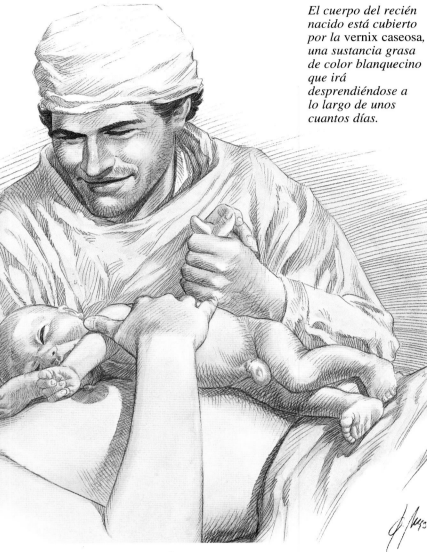

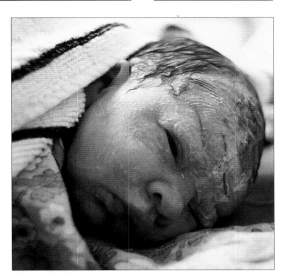

El cuerpo del recién nacido está cubierto por la vernix caseosa, una sustancia grasa de color blanquecino que irá desprendiéndose a lo largo de unos cuantos días.

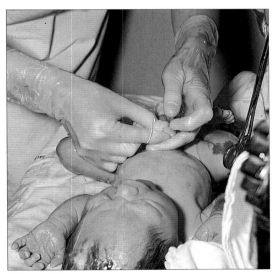

placenta, que será expulsada del útero al cabo de un rato en el período de alumbramiento. Cuando se advierte que en el cordón umbilical los latidos disminuyen, se procede a pinzarlo o a atarlo a unos centímetros del abdomen del recién nacido, y seguidamente se efectúa un corte en las máximas condiciones de asepsia.

A continuación se suceden los controles del recién nacido y se efectúan las primeras curas; habitualmente, se le traslada a una zona de la sala de partos preparada para este fin. Allí se procede a una limpieza de la superficie corporal del pequeño, eliminándose los restos de sangre, membranas o líquido amniótico, si bien no se efectúa un baño para no eliminar completamente la *vernix caseosa*, una capa de sustancia grasa que actúa como barrera

La ligadura y el corte del cordón umbilical dan lugar a la separación definitiva entre el organismo fetal y la placenta que hasta este momento lo conectaba al organismo de la madre; a partir de ahora, el bebé ya empezará a valerse por sí mismo en una tarea tan importante como es la obtención del oxígeno.

protectora de la piel durante los primeros días de vida.

El aspecto inicial del recién nacido es característico y evidenciará cambios notables a lo largo de los días. Espontáneamente tiende a adoptar la postura que ha mantenido en el interior del útero, doblando el cuerpo y encogiendo los brazos y las piernas sobre el tronco. Es común que su cuerpo esté cubierto de lanugen, una pelusa abundante que irá desprendiéndose y cambiando de color en los días siguientes. La cabeza puede presentar un abombamiento o una tumefacción a causa de la presión que ha sufrido durante el nacimiento, que habitualmente cede al cabo de un tiempo sin necesidad de tratamiento.

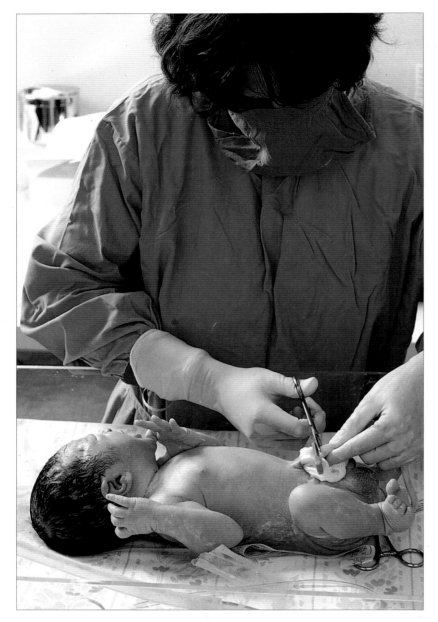

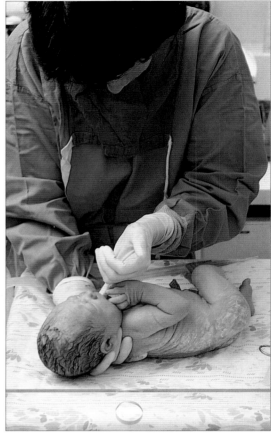

Entre las primeras atenciones al recién nacido, destaca la limpieza de la boca y de las fosas nasales, así como la comprobación que el pequeño presenta una permeabilidad adecuada de las vías aéreas y del aparato digestivo. Mediante unos ligeros estímulos, también se comprueba el reflejo de succión.

El control médico y las atenciones del recién nacido empiezan sólo unos instantes después del nacimiento, en la misma sala de partos, ya que resulta de la máxima importancia comprobar si su estado es el adecuado o si se requiere alguna medida asistencial inmediata. En primer lugar se extraen de la boca y de las fosas nasales las mucosidades que pueden dificultar la respiración, y a continuación comienza la valoración del estado general.

En nuestro medio, se practica rutinariamente una valoración del recién nacido mediante la llamada prueba de

El cuidado de la zona umbilical, con la comprobación del estado de los restos del cordón y la aplicación de un antiséptico, constituye una parte fundamental del control inicial del recién nacido.

Apgar. Así, como mínimo una vez al cabo de un minuto del nacimiento y otra a los cinco minutos, se valoran parámetros como la frecuencia cardíaca, la respiración, el color de la piel, el tono muscular y la respuesta refleja del recién nacido ante determinados estímulos; así se obtiene una puntuación que determina la necesidad de instaurar alguna especie de práctica si se comprueba alguna deficiencia concreta.

Si el bebé no presenta ningún problema que requiera una atención urgente, se continúa con la valoración iniciada y se llevan a cabo las primeras actuaciones médicas preventivas.

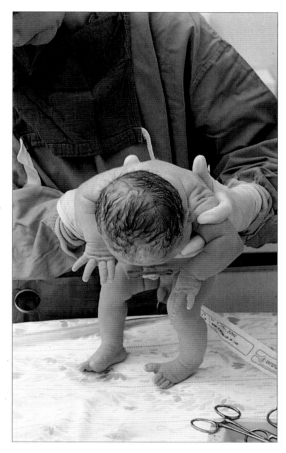

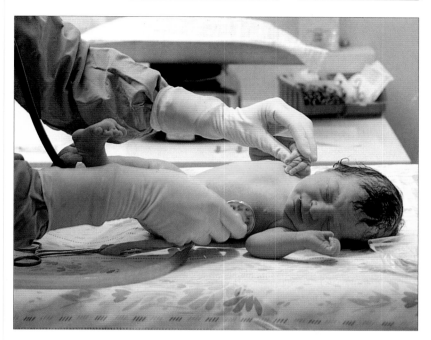

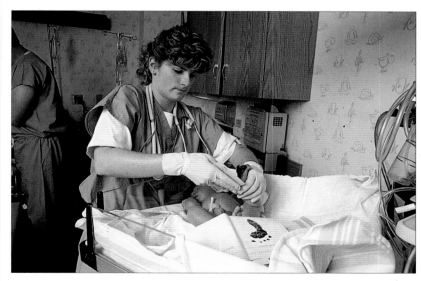

El control médico inicial incluye un estudio de la maduración del sistema nervioso, basado en la comprobación de algunos reflejos espontáneos ante determinados estímulos, como el reflejo de la marcha (sobre estas líneas), así como la valoración del aparato cardio-respiratorio (arriba, a la derecha).

Así, se examina todo el cuerpo, se comprueba que el aparato digestivo y el respiratorio estén abiertos y sean permeables, se practica una inspección torácica y abdominal, se procede a una palpación del cráneo midiendo su perímetro, se verifica el estado de la región genital, se efectúa una determinación del peso y de la talla, etc. Es importante también la exploración del sistema nervioso, mediante la observación de los reflejos espontáneos desencadenados a partir de determinados estímulos, y la valoración de los órganos de los sentidos.

Para evitar cualquier clase de confusión, en la misma sala de partos se procede a la identificación del recién nacido, mediante la toma de una impresión de las plantas de los pies en una ficha donde también se recoge la huella digital de la madre.

Las atenciones iniciales incluyen la curación del resto del cordón umbilical y la limpieza del bebé. Las principales actuaciones preventivas corresponden a la aplicación de un colirio antibiótico en los ojos y la administración de vitamina K, como prevención de deficiencias responsables de hemorragias.

Finalmente, se procede a la identificación del niño y después se realiza su traslado a la sala de recién nacidos, el "nido" o *nursery*, donde, con más calma, se practicarán los controles oportunos y se continuarán las atenciones iniciales.

Partos especiales y cesáreas

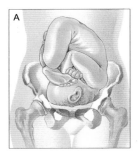

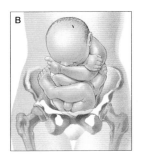

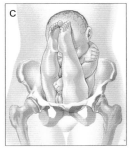

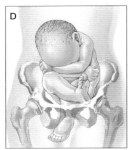

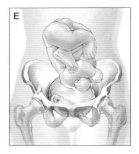

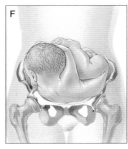

Estos dibujos corresponden a las diferentes posiciones o presentaciones que puede adoptar el feto en el momento del parto.
A: presentación cefálica de vértice o presentación normal (95% de los casos).
B: presentación podálica

o pelviana completa.
C: presentación de nalgas simple.
D: presentación de pies.
E: presentación de cara.
F: presentación transversa.

La mayoría de los partos son absolutamente normales, ya que se desencadenan espontáneamente en la fecha prevista y tienen lugar por vía vaginal sin que se presente dificultad alguna. Sin embargo, existen diversas situaciones que conllevan problemas o que constituyen motivos de peligro, ya sea para la salud del feto o de la madre, y que requieren una actuación médica concreta para facilitar o hacer posible el nacimiento.

Si por cualquier motivo el período expulsivo del parto se prolonga excesivamente o se advierte que hay una situación de sufrimiento fetal, se puede recurrir a la utilización de un instrumental especial destinado a facilitar la salida del feto por el canal vaginal y acelerar el parto. El esquema muestra los dispositivos más utilizados: A, fórceps: dispositivo metálico semejante a una pinza, que está compuesto por dos ramas en forma curva, y mediante el cual se hace presión sobre la cabeza fetal y se tira de él hacia el exterior (en la fotografía superior, parto con fórceps). B, espátulas: dispositivo similar al anterior pero con dos partes independientes, semejantes a cucharas, con las que se hace tracción de la cabeza fetal. C, ventosa obstétrica: especie de cazoleta o campana conectada a un sistema de vacío que se coloca sobre la cabeza del feto, manteniéndola fija, y que permite así ejercer tracción sobre ella hacia fuera (en la fotografía inferior, parto con ventosa obstétrica).

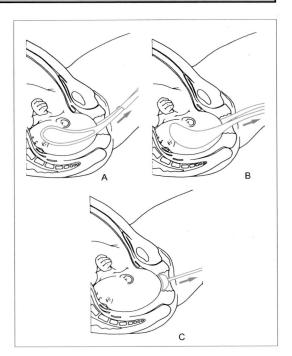

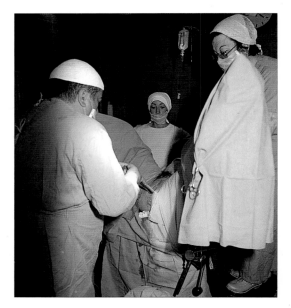

La cesárea es una intervención quirúrgica mediante la cual, practicando una incisión en las paredes del abdomen materno y del útero, se accede al feto, que puede ser extraído del claustro materno. Esta intervención se lleva a cabo cuando se considera que el parto por vía vaginal es peligroso o bien imposible, y también en algunas situaciones en que conviene extraer el feto rápidamente, incluso sin que todavía se haya desencadenado el parto. La operación, realizada con anestesia epidural o bien con anestesia general cuando se trata de una situación de urgencia, se encuentra actualmente muy perfeccionada y constituye una intervención sencilla, segura y eficaz que permite la extracción del feto del seno materno prácticamente sin riesgo, por lo que es practicada siempre que se prevé o que se presenta algún problema en el parto por vía vaginal, aunque este problema no sea muy importante.

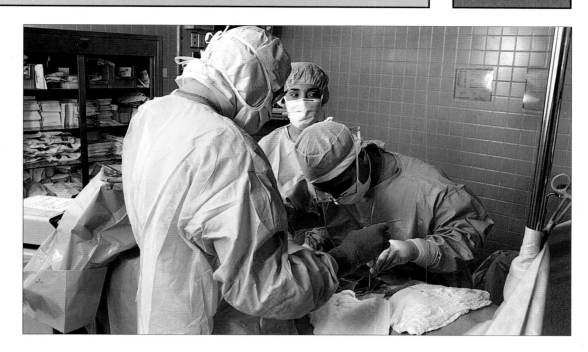

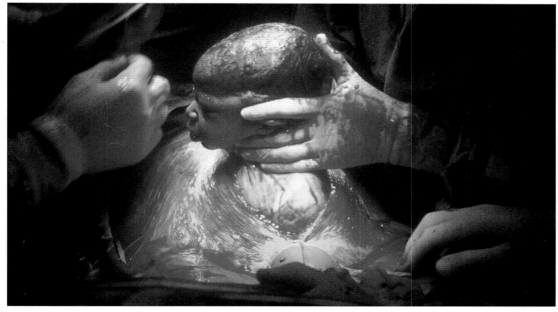

Se dan casos en que es conveniente provocar artificialmente el inicio del parto, por ejemplo porque el embarazo se prolonga excesivamente o cuando se considera que su desencadenamiento espontáneo en un momento imprevisto puede ser peligroso. Las técnicas utilizadas a este efecto son diversas, como la aplicación de un gel con prostaglandinas en el cuello uterino o la administración de oxitocina por vía intravenosa, con un gota a gota.

Otras veces se presentan dificultades, como sucede cuando el feto está colocado en una posición anómala o si se advierte que no se oxigena adecuadamente, y entonces se puede recurrir a la realización de determinados procedimientos a fin de acelerar el parto.

Por otra parte, cuando se advierte una dificultad o imposibilidad para el parto por vía vaginal, se puede recurrir a una cesárea, extrayendo el feto a través de una incisión practicada en el abdomen de la madre.

El postparto

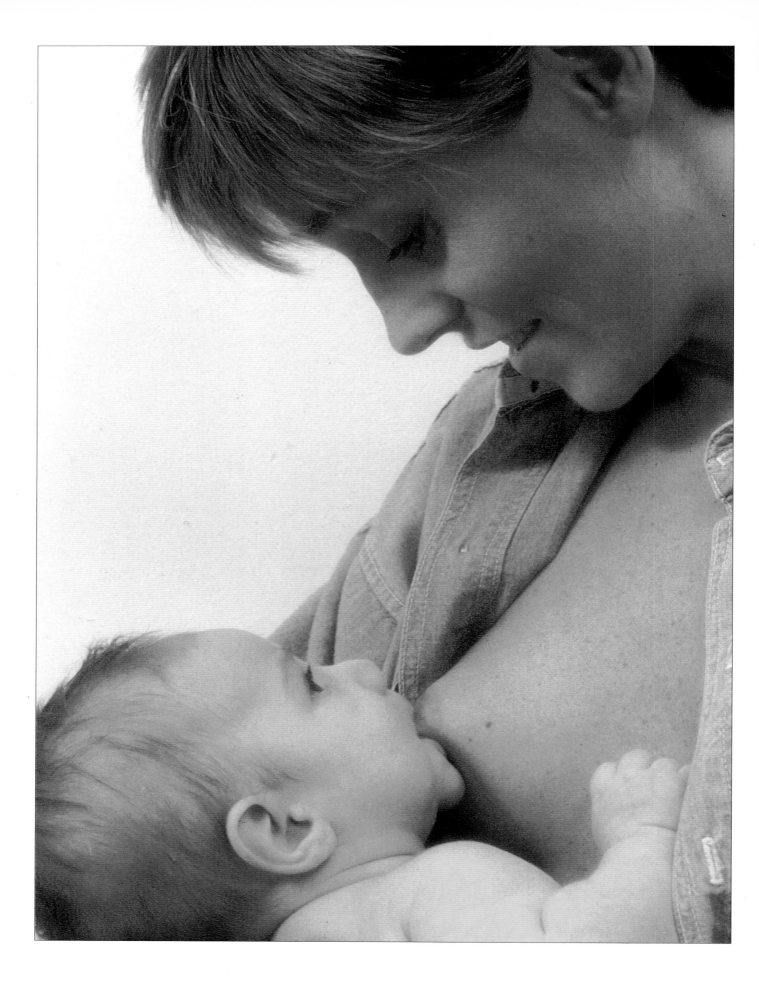

Cuando finaliza el parto, comienza el postparto o puerperio, período que abarca desde el alumbramiento —la expulsión de la placenta y de las membranas anexas— hasta el momento en que el organismo femenino, especialmente en lo que respecta a los órganos genitales, recupera unas características semejantes a las que presentaba previamente al comienzo del embarazo. Se trata de un período de restablecimiento de las diversas y profundas transformaciones ocurridas en el cuerpo de la mujer durante la gestación, cuya duración aproximada es de unas seis semanas o cuarenta días, por lo que también se conoce popularmente como "cuarentena".

Las principales modificaciones del postparto tienen lugar, como es lógico, en el útero, órgano que ha acogido al feto y al resto de estructuras gestacionales y que, por lo mismo, durante el embarazo se ha tenido que agrandar de manera extraordinaria; ello hace que sea necesario que transcurran unas cuantas semanas de evolución hasta que recupere sus características normales. Pero las transformaciones que se producen en el organismo de la mujer son mucho más amplias. Por citar unos ejemplos, las mamas experimentan las modificaciones fisiológicas que hacen posible la lactancia, los órganos abdominales y pelvianos vuelven progresivamente a su posición habitual y recobran su actividad normal, el sistema cardiovascular vuelve a las condiciones funcionales que tenía antes del embarazo y el aparato osteomuscular puede rehacerse de la sobrecarga que ha soportado durante los meses anteriores.

Poco a poco, pues, todo vuelve a la normalidad y, de manera natural, el organismo femenino se adapta a la nueva situación. Sin embargo, hay que adoptar algunas precauciones para garantizar que la evolución del postparto sea correcta, e incluso se puede favorecer la recuperación si se sigue un programa de ejercicios y se cumplen unas premisas básicas en lo que atañe a higiene y alimentación. Aunque se trata de un proceso natural, el puerperio constituye un período crítico en el que pueden presentarse ciertas alteraciones potencialmente graves o, sin ir tan lejos, del que la mujer puede no restablecerse tan adecuadamente como sería deseable.

Es por ello que las transformaciones orgánicas propias del postparto requieren un control médico adecuado, ya que es necesario comprobar que no surgen complicaciones y, si aparece algún problema, se impone una corrección inmediata. De hecho, el control médico que hoy en día se lleva a cabo rutinariamente después del parto permite que algunas posibles complicaciones importantes, que en épocas pasadas eran relativamente comunes y ponían en grave peligro la vida de la madre, como por ejemplo las hemorragias uterinas del postparto o el trastorno infeccioso conocido como fiebre puerperal, sean actualmente muy poco frecuentes y resulten excepcionalmente fatales o impliquen secuelas graves.

A fin de garantizar el control oportuno, la mujer acostumbra a estar ingresada unos tres o cuatro días cuando el parto se ha producido por vía vaginal, tiempo suficiente para recuperarse del esfuerzo, comprobar que todo marcha bien y proceder a las curas pertinentes de la zona genital, o bien durante una semana cuando se ha recurrido a una cesárea. Pasado este período inicial del puerperio, si la evolución es favorable y se constata que no hay ningún problema, la mujer puede ya regresar a casa y empezar una vida prácticamente normal, si bien teniendo en cuenta ciertas precauciones y consejos por lo que respecta a aspectos como la actividad física, la higiene, la sexualidad o la alimentación, a fin de favorecer una rápida y eficaz recuperación. Posteriormente, será suficiente un control ambulatorio que confirme la correcta evolución del proceso; una visita médica cuando ya hayan transcurrido seis semanas permitirá constatar que el período postparto ha finalizado y que el organismo de la mujer se encuentra en un estado anatómico y funcional muy similar al que presentaba antes del inicio de la gestación.

Sin embargo, a pesar de que todo esté bajo control médico, es conveniente que la mujer conozca, aunque sea a grandes rasgos, lo que está sucediendo en su organismo durante este período tan especial. De esta forma podrá comprender el objetivo de los exámenes a que está sometida, y también podrá diferenciar las molestias que pueden considerarse normales en este proceso de las que indican que algo no marcha bien y requieren una atención adecuada.

Durante el parto, a lo largo de pocas horas, el útero se vacía de su contenido gestacional, con la salida del feto, la placenta y las membranas anexas y una considerable cantidad de líquido amniótico, por lo que se encuentra muy dilatado. Además, en la zona de la pared uterina de la que se ha desprendido la placenta, queda una herida, de aproximadamente unos ocho centímetros de diámetro, que tiene que ir cicatrizando. El proceso de recuperación y de involución del útero, que tiene que volver a unas dimensiones similares a las que tenía antes del embarazo, es uno de los factores más importantes del postparto y requiere un control muy estrecho, ya que si no se desarrolla con normalidad es posible que se presenten complicaciones hemorrágicas graves que exijan una actuación médica sin dilación.

Cuando finaliza el parto, las fibras musculares del útero se contraen espontáneamente con fuerza, con lo cual se cierran los vasos sanguíneos abiertos al desprenderse la placenta y se evita la hemorragia. En este momento se constituye, pues, el llamado globo de seguridad, y mediante una palpación abdominal se puede comprobar que el útero se encuentra firmemente contraído y que su límite superior está situado a unos dos o tres centímetros por encima del ombligo. En las horas siguientes al parto, la vigilancia médica es muy exhaustiva; inicialmente se llevan a cabo controles incluso cada quince minutos y después se van espaciando en función de los resultados obtenidos. Si se detecta que la contracción uterina no es muy eficaz, puede estimularse mediante la aplicación de masajes, o puede ser necesaria la administración de medicamentos que provoquen una contracción más enérgica de las fibras musculares de la matriz.

Al cabo de unas horas, cuando los vasos sanguíneos abiertos al desprenderse la placenta se van obturando por los mecanismos de la coagulación, las fibras musculares uterinas se van relajando, y al día siguiente el límite superior del útero puede encontrarse un poco más arriba que en los momentos iniciales. Pero a continuación, la involución uterina se produce con rapidez: si al segundo día del postparto el fondo uterino se sitúa a la altura del ombligo, hacia el quinto o sexto día se localiza ya a media distancia entre el ombligo y la símfisis del pubis, y hacia el décimo día se encuentra al nivel de esta. A partir de entonces la involución del útero se hace más lenta, y tendrán que pasar entre tres y seis semanas hasta que el órgano recupere la posición y el tamaño previos al embarazo.

En la primera etapa del postparto, el útero tiene que desprenderse de restos de sangre, membranas y tejidos de la parte uterina de la placenta, que son expulsados mediante contracciones que favorecen el vaciado del órgano. Durante los primeros días, y especialmente en las mujeres multíparas, estas contracciones pueden ser muy dolorosas, y se llaman muesos. Generalmente las contracciones molestas cesan en un par de días, y si resultan muy dolorosas se puede recurrir a la administración de analgésicos.

Los residuos uterinos son eliminados por la vagina en forma de una secreción llamada loqui, cuyas características se van modificando a lo largo de los días. Así, durante los primeros tres o cuatro días, la secreción es abundante y de color rojo intenso; luego adquiere un aspecto seroso, de color entre rosado y amarillento. Después de diez a catorce días, disminuye de volumen y adquiere las características de loquios blancos, con la eliminación de un líquido muy fluido y casi incoloro, que tiene una duración variable, ya que puede persistir algunas semanas y va desapareciendo progresivamente. La observación de los loquios brinda una buena información sobre la evolución del proceso; este líquido no se considera normal si corresponde a una abundante hemorragia de sangre fresca, o si contiene grandes coágulos. Así pues, si la cantidad de loquios es excesiva, es posible deducir que el útero está demasiado relajado; si no se produce la presencia de estos líquidos, es posible que se haya producido un proceso infeccioso; si huelen mal, probablemente existe una infección o una retención de coágulos.

Durante la permanencia de la madre en el centro sanitario, se lleva a cabo un esmerado control de las secreciones vaginales, para comprobar que no corresponden a una auténtica hemorragia y que no hay señales de infección. A este efecto también se toma periódicamente el pulso, la presión arterial y la temperatura corporal. Igualmente se procede a una esmerada higiene de la región vulvo-perineal y se lleva a cabo la cura oportuna de los desgarramientos accidentales o de las heridas quirúrgicas de la episiotomía o la cesárea, lo cual es de la máxima importancia para favorecer la cicatrización y prevenir complicaciones infecciosas. La mujer tiene que aprovechar los días que está en la clínica para informarse de estas cuestiones y así poder hacerse cargo de su propio cuidado cuando regrese a casa.

Otra modificación orgánica destacable durante este período corresponde a la puesta en marcha de la actividad de las mamas, que comienzan a elaborar leche. Ya desde el final del embarazo las glándulas mamarias se encuentran activas y secretan una sustancia llamada calostro, que el bebé obtiene en sus primeras mamadas. Precisamente, el estímulo de las succiones del pequeño da como resultado la producción de la leche materna, que las mamas continuarán elaborando durante algunos meses si se sigue con la lactancia natural. Si por alguna razón la mujer desea renunciar a la lactancia o por alguna causa específica ésta no es aconsejable, pueden administrarse determinados medicamentos hormonales para inhibir la actividad de las glándulas mamarias, tratamiento que se instaurará mientras la mujer todavía esté en el centro sanitario. Cuando se opta por la lactancia natural, la permanencia en la clínica brinda una excelente oportunidad para que la mujer aprenda, bajo la supervisión del personal sanitario, una técnica adecuada para amamantar al bebé, así como también las medidas higiénicas que tiene que usar para evitar la aparición de lesiones como grietas en los pezones o incluso una infección de la mama que puede presentarse en esta etapa, la llamada mastitis puerperal.

Cuando finalmente la madre y el hijo reciben el alta, la familia se enfrenta con el apasionante reto de la vida en casa. Es el momento de poner en práctica los conocimientos de puericultura aprendidos en el cursillo de preparación para el parto y durante la permanencia en la clínica, a fin de cubrir todas las necesidades del bebé. Pero el puerperio todavía continúa y conviene que la mujer se preocupe de factores importantes como por ejemplo los cuidados higiénicos o la alimentación, especialmente si da el pecho, así como de la actividad física y de la práctica de una gimnasia postparto que favorezca la recuperación de su organismo, cuestiones a las que se hace referencia en este capítulo.

Unos días en la clínica I: la madre

Los controles periódicos del pulso, la presión arterial y la temperatura corporal, junto con la palpación abdominal y la observación de las características de las secreciones vaginales, constituyen la mejor garantía para comprobar que todo está en orden.

Cuando la madre se ha recuperado del esfuerzo que le ha supuesto el parto, ya puede recibir visitas en la clínica, y en este sentido no hay que olvidar la importancia que tiene el hecho de participar este acontecimiento a los hermanos del recién nacido.

La permanencia de la madre en la clínica, si no se presenta ninguna complicación, oscila habitualmente entre unos cuatro días, cuando el parto se ha producido por vía vaginal, y una semana, cuando se ha practicado una cesárea.

Este tiempo resulta suficiente para controlar de cerca su estado y comprobar que la recuperación tiene lugar con normalidad sin que se presente ningún tipo de complicación, así como para proceder a la cura adecuada de las heridas producidas durante el parto, ya sean quirúrgicas o accidentales, y también para ocuparse de

La permanencia en la clínica proporciona una excelente oportunidad para que la madre afronte el cuidado inicial del bebé bajo la supervisión del personal sanitario, ya que así podrá actuar con más seguridad y podrá aclarar todas las dudas que se le planteen respecto al tema.

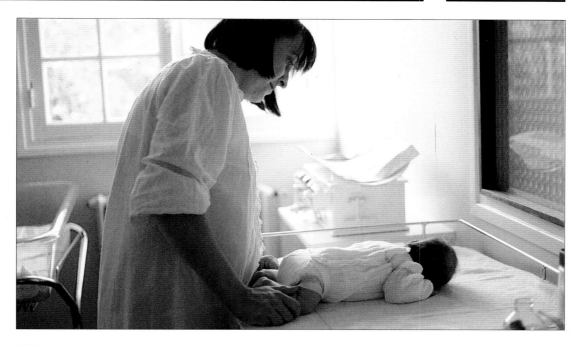

El tipo de alimentación que recibe la madre durante los primeros días del postparto se decide en función de la modalidad del parto y de la anestesia utilizada. Después de un período inicial en que sigue una dieta líquida o ligera, se irá introduciendo poco a poco una alimentación totalmente normal.

aspectos tan importantes en este período como la higiene de la zona genital y el control de la alimentación de la mujer en función de las características del parto y la anestesia que se haya utilizado.

El período más crítico y que requiere más control es el postparto inmediato, ya que en las primeras horas y en los días siguientes al parto es necesario comprobar que no se presentan complicaciones hemorrágicas o infecciosas que, si se producen, exigirán una actuación sin demora. Más adelante, en cambio, los controles podrán continuar de forma ambulatoria.

Unos días en la clínica II: el niño

Es muy importante potenciar al máximo el contacto de la madre con su hijo en un ambiente que sea relajado y tranquilo y que garantice una adecuada comunicación.

Mientras el recién nacido está en la clínica, no solamente se presta asistencia a sus necesidades básicas en lo que se refiere a higiene y a alimentación, sino que también se aprovecha para seguir atentamente su evolución.

Si todo marcha bien, el niño pasa gran parte del tiempo con su madre, si bien respetándose siempre el adecuado descanso de ambos, y el resto en el "nido" o *nursery*, una sala que acoge a todos los recién

En el "nido" o nursery *el recién nacido se encuentra en todo momento bajo el control de personal especializado que garantiza su descanso y que atiende con rapidez sus necesidades.*

nacidos del centro, que se encuentra especialmente acondicionada para atender a sus necesidades y que se mantiene siempre bajo un continuo control profesional. Allí, el personal sanitario vigila que el pequeño descanse en la cuna en posición adecuada, se ocupa de comprobar que no presenta dificultades respiratorias, controla sus primeras deposiciones, procede a las curas del cordón umbilical y lleva a cabo controles periódicos de la frecuencia cardíaca y de la temperatura corporal. También se controla la evolución del peso, ya que esto constituye un buen índice de su crecimiento y permite comprobar que la alimentación que recibe es la adecuada.

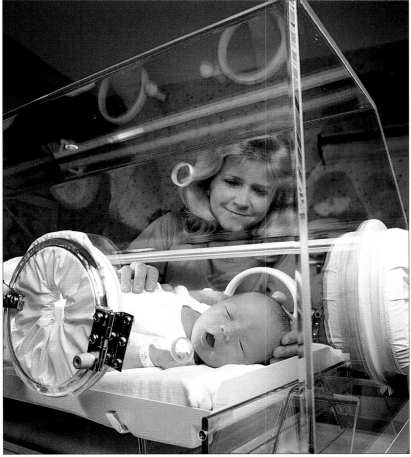

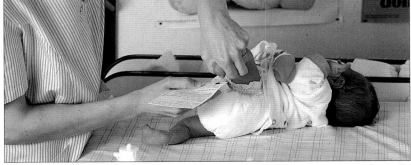

Durante los primeros días de vida, se efectúan rutinariamente pruebas para detectar ciertas afecciones congénitas, como la fenilcetonuria y el hipotiroidismo, ya que estas enfermedades al comienzo no dan lugar a síntomas evidentes y pueden desarrollarse de manera latente pero muy nociva, por lo que se impone un diagnóstico inmediato para decidir un tratamiento que evite sus nefastas consecuencias.

Por otra parte, si surge algún problema, se adoptan las medidas oportunas, como pueden ser el uso de una incubadora cuando hay dificultades en la autorregulación de la temperatura corporal o la exposición a una fuente luminosa si presenta ictericia.

A veces, el recién nacido requiere el uso de una incubadora (fotografía superior), una especie de cuna cerrada por una campana, donde se regulan con exactitud las condiciones convenientes de temperatura, humedad y concentración de oxígeno. La utilización de esta especie de cuna isotérmica es bastante habitual, y sólo suele ser necesaria durante unos días.

Sobre estas líneas, obtención de una muestra de sangre mediante un pequeño pinchazo en el talón del bebé, practicado para poder detectar precozmente ciertas afecciones congénitas.

La subida de la leche

Actualmente se tiende a potenciar la lactancia precoz, instándose a la madre a que dé el pecho inmediatamente después del parto o bien en el período de las primeras doce horas del postparto, ya que el principal estímulo para la producción de leche corresponde a la misma succión que efectúa el bebé durante las mamadas. Las primeras mamadas acostumbran a ser cortas, y se van alargando progresivamente, aunque no se prolongan más allá de 7 a 10 minutos en cada uno de los pechos; este tiempo resulta suficiente para que el pequeño obtenga toda la leche que necesita. En el gráfico puede observarse la cantidad de leche obtenida de cada pecho según el tiempo de mamada en bebés de diferente peso. En general, se aconseja que se dé un pecho hasta que la madre note que el pequeño reduce la velocidad y fuerza de la succión, y cambiar al otro pecho antes de que no deje de mamar o se duerma; dado que el segundo pecho no suele vaciarse completamente, conviene que sea éste el primero que se ofrezca al niño en la siguiente mamada.

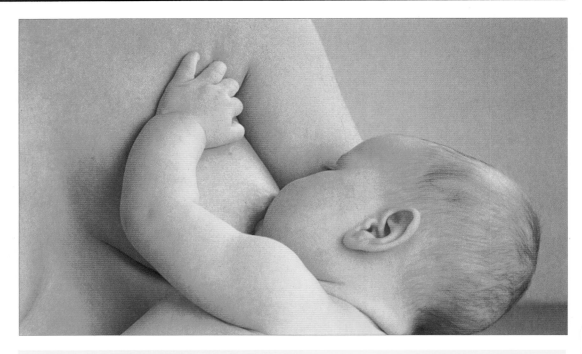

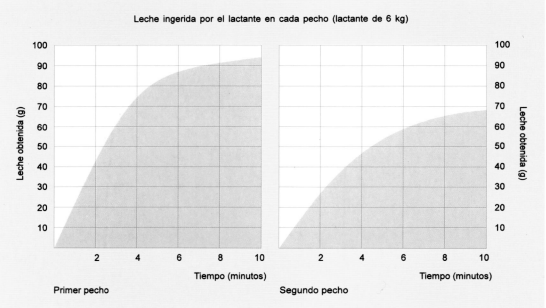

Leche ingerida por el lactante en cada pecho (lactante de 6 kg)

Primer pecho

Segundo pecho

Después del parto se activan las glándulas mamarias de la madre, que se han ido desarrollando y preparando para la lactancia durante el embarazo. Bajo la influencia de la hormona prolactina, las mamas comienzan a producir leche, aunque el proceso tarda unos días en activarse completamente.

Ya desde el momento del parto las mamas secretan una sustancia amarillenta llamada calostro, de alto poder nutritivo, rica en proteínas y anticuerpos, que el recién nacido puede obtener en sus primeras mamadas, generalmente al cabo de unas horas del nacimiento.

Hacia el segundo o tercer día del postparto se presenta el fenómeno que se conoce como la "subida de la leche", que refleja el intenso grado de actividad de las glándulas mamarias y marca el inicio de la lactancia.

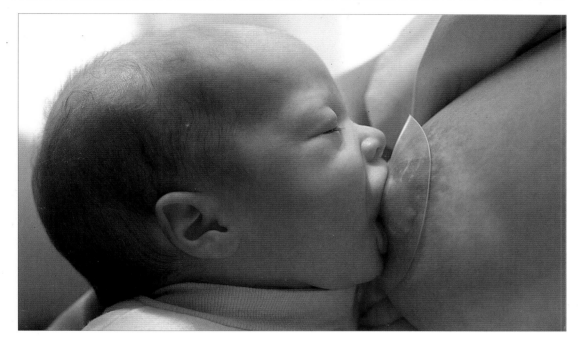

Es frecuente que las succiones provoquen una irritación de los pezones o que incluso den lugar a la aparición de grietas, pero esto no constituye un motivo para el abandono de la lactancia natural; si sucede, el uso de una pezonera es útil para aliviar la molestia y permitir una adecuada recuperación.

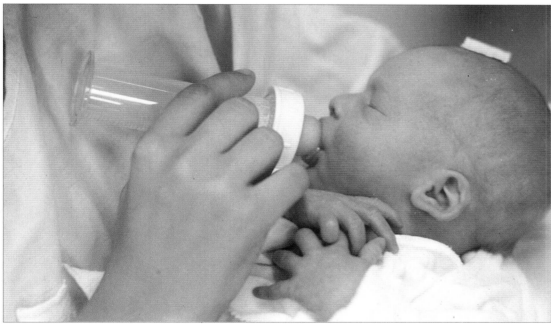

Si bien la utilización del biberón es de una gran utilidad cuando la mujer no desea dar el pecho o en el caso de que por cualquier motivo no pueda hacerlo, cuando se pretende seguir una lactancia natural no conviene introducir precozmente el uso del biberón, ya que con él, al bebé le resultará más fácil la obtención del alimento y esto puede motivar que después rehúse el ofrecimiento del pecho.

En este momento, las mamas se ponen tumefactas, se endurecen y muchas veces se encuentran calientes. La tumefacción acostumbra a durar alrededor de un día, y a veces da lugar a molestias que pueden aliviarse con fármacos analgésicos o con la aplicación de calor, aunque lo más conveniente es permitir el vaciado de los pechos con las mismas mamadas del niño. La secreción mamaria puede mantenerse durante meses; el principal motivo de su persistencia es la misma lactancia. Cuando el niño succiona el pecho, el estímulo llega al hipotálamo de la madre y da lugar a la producción de oxitocina, hormona que por un lado provoca la contracción de los ácinos y conductos mamarios, lo cual facilita la expulsión de la leche, y por otro da lugar a la secreción hipofítica de prolactina, que mantiene la elaboración de la leche.

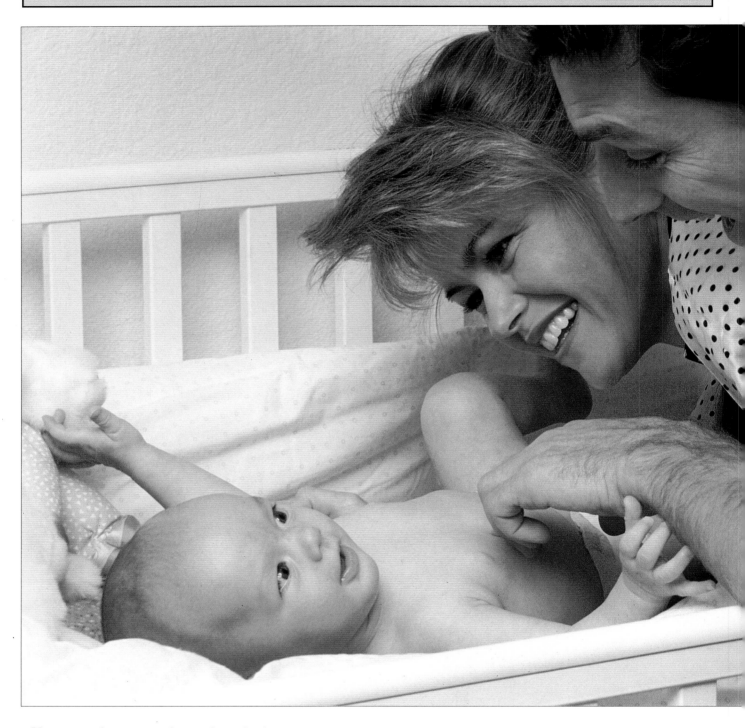

Una vez se ha constatado que la mujer ha superado satisfactoriamente el período más crítico del puerperio y se ha comprobado que el estado físico del bebé evoluciona sin problemas, madre e hijo pueden abandonar el centro sanitario para empezar una nueva etapa, el auténtico inicio de la vida de familia en el hogar.

La llegada a casa significan la responsabilidad de prodigar los cuidados al bebé sin la supervisión del personal sanitario, lo que conlleva un gran número de obligaciones para la madre y también exige la cooperación de la familia, ya que la mujer todavía se encuentra en una fase de recuperación que se prolongará durante unas

La salida de la clínica constituye un momento de emoción incomparable y también, como es lógico, el inicio de una serie de nuevas responsabilidades para los padres, que generalmente están ansiosos por cuidar al bebé y poder poner en práctica los conocimientos de puericultura que han ido adquiriendo hasta entonces. En la primera etapa de la nueva vida familiar, es fundamental intentar mantener en todo momento la calma y afrontar el cuidado del niño con la dedicación y la preocupación oportunas para cubrir adecuadamente sus necesidades, pero con la convicción de que poco a poco se irá aprendiendo a reconocer y a satisfacer sus demandas. Al mismo tiempo, los padres no tienen que descuidar las atenciones a los hermanos del nuevo miembro de la familia, que en la medida que sea posible deben participar en los cuidados del recién nacido, para que también ellos se sientan protagonistas de todo lo que está sucediendo en casa.

cuantas semanas, recuperación que hay que favorecer con las medidas adecuadas en lo que se refiere a higiene, alimentación y actividad física.

La mujer puede hacer una vida prácticamente normal, si bien conviene que mantenga un descanso relativo durante una semana. Si el médico no ha indicado ninguna limitación concreta, la madre, además de concentrarse en la lactancia, puede encargarse sin problemas de la higiene y otros cuidados del bebé y, poco a poco, en concordancia con su evolución, también podrá ocuparse de las tareas domésticas, aunque evitará inicialmente las más pesadas o agotadoras.

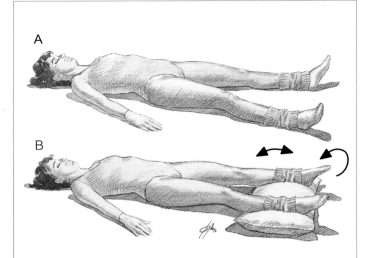

Tumbada boca arriba, con las piernas y los brazos abiertos y extendidos (A), realizar alternativamente series de respiraciones abdominales, torácicas y combinadas.

Levantar ligeramente las piernas y efectuar ejercicios de flexión, de extensión y de rotación de los pies (B).

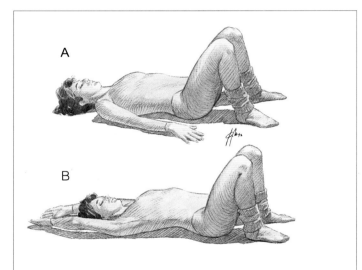

Tumbada boca arriba, extender los brazos pegados al cuerpo y doblar las piernas (A).

Inspirar, llevando los brazos hacia atrás y acercando los talones a las nalgas (B); espirar mientras se vuelve a adoptar la posición inicial.

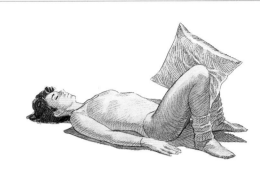

Partiendo de la posición tumbada boca arriba, doblar las piernas y poner una almohada entre las rodillas. Presionar con fuerza las rodillas durante unos segundos, aflojar y repetir el movimiento diversas veces.

Tumbada boca arriba y con las piernas dobladas, hacer fuerza con los pies contra el suelo y al mismo tiempo contraer el ano, la vagina y los glúteos; aflojar y repetir diversas veces.

Tumbada boca arriba y con las piernas dobladas, inspirar y después expulsar el aire al mismo tiempo que se levanta la cabeza y se llevan los muslos contra el abdomen estirando las rodillas.

Las transformaciones que se producen en el organismo femenino después del parto para que todo vuelva a la normalidad resultan muy favorecidas con unos ejercicios que pueden iniciarse durante la permanencia en la clínica, ya desde el primer día del postparto.

Los primeros ejercicios, destinados a activar el sistema cardio-circulatorio y favorecer la involución uterina, tienen que ser programados en cada caso particular, en función de la modalidad del parto y del estado físico de la mujer. En estas páginas, se muestran los más habituales.

A

Partiendo de la posición tumbada boca arriba, con las piernas estiradas y los brazos extendidos pegados al cuerpo, doblar las rodillas y levantar las dos piernas (A).

B

Con los pies levantados, extender una pierna mientras se dobla la otra, reproduciendo el movimiento típico de ir en bicicleta (B).

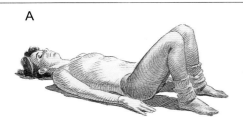

A

Partiendo de la posición tumbada boca arriba y con los brazos extendidos pegados al cuerpo, doblar las dos piernas (A).
Inspirar y, al mismo tiempo que se expulsa el aire, levantar la

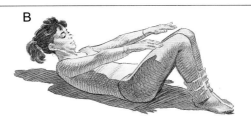

B

cabeza e intentar levantar el tronco, estirando los brazos hacia adelante y contrayendo las nalgas y el abdomen.

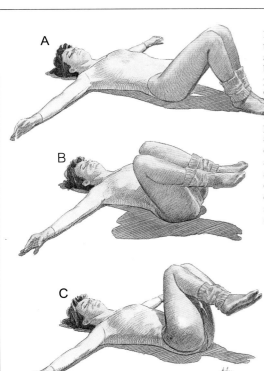

A

B

C

Adoptar la posición tumbada boca arriba, con los brazos en cruz y las piernas dobladas (A). Levantar ligeramente los pies e inclinar ambas piernas dobladas alternativamente a un lado y a otro, sin separar el tronco de la superficie (B i C).

Tumbarse boca arriba, con las manos en la nuca y las piernas dobladas (A). Inspirar y, mientras se expulsa el aire, inclinar el tronco hacia la izquierda impulsando el codo derecho hacia el lado contrario, al mismo tiempo que se dobla y se acerca la pierna izquierda al codo (B). Volver a la posición inicial y repetir el movimiento hacia el otro lado con el codo izquierdo y la rodilla derecha (C).

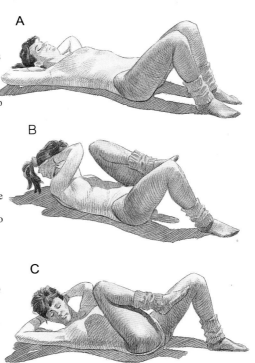

A

B

C

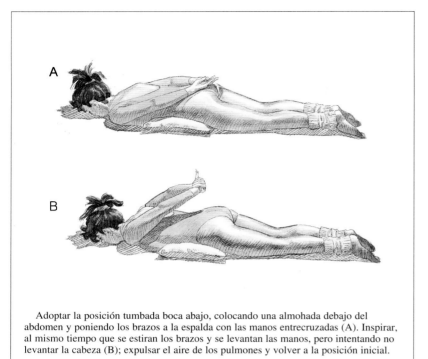

Adoptar la posición tumbada boca abajo, colocando una almohada debajo del abdomen y poniendo los brazos a la espalda con las manos entrecruzadas (A). Inspirar, al mismo tiempo que se estiran los brazos y se levantan las manos, pero intentando no levantar la cabeza (B); expulsar el aire de los pulmones y volver a la posición inicial.

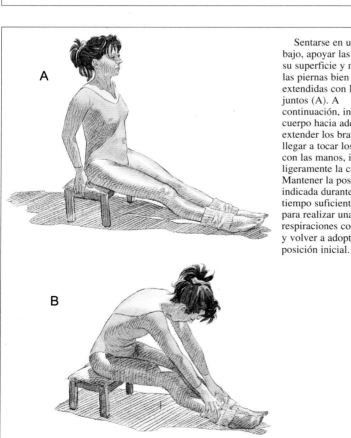

Sentarse en un taburete bajo, apoyar las manos en su superficie y mantener las piernas bien extendidas con los pies juntos (A). A continuación, inclinar el cuerpo hacia adelante y extender los brazos hasta llegar a tocar los tobillos con las manos, inclinando ligeramente la cabeza (B). Mantener la postura indicada durante el tiempo suficiente como para realizar unas cuantas respiraciones completas y volver a adoptar la posición inicial.

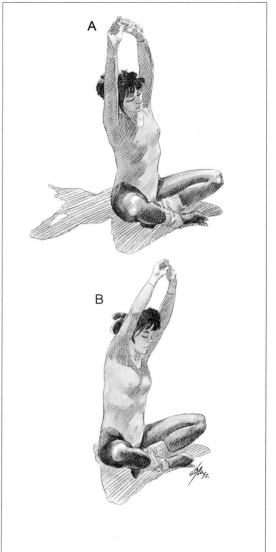

Sentarse, con la espalda recta y las piernas cruzadas, manteniendo una posición estable. Extender y levantar los brazos juntando las manos por encima de la cabeza e inclinar el cuerpo alternativamente hacia un lado (A) y hacia el otro (B), intentando no separar las nalgas del suelo.

Una vez en casa, conviene que la mujer continúe practicando gimnasia diariamente, y que vaya añadiendo ejercicios más complejos, como los que se muestran en estas páginas, a los que había empezado a hacer durante su permanencia en la clínica. Si en los primeros días del puerperio sólo se realizan ejercicios en posición yacente, en esta segunda etapa ya se puede practicar gimnasia en diversas posiciones.

El ejercicio contribuye en buena medida a la recuperación del tono de los músculos

Ponerse a gatas, manteniendo los brazos bien extendidos. Inspirar y, sin mover las rodillas ni doblar los codos, levantar la cabeza y poner la espalda recta (A).

A continuación, espirar y arquear la espalda, colocando la cabeza entre los brazos (B).

Repetir estos dos movimientos alternativamente.

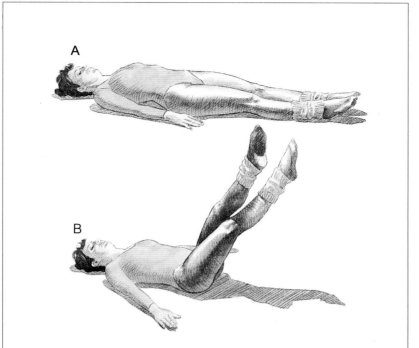

Partir de la posición tumbada boca arriba, con las piernas extendidas y juntas y los brazos pegados al cuerpo (A). Abrir los brazos para aumentar la superficie de soporte y levantar las piernas extendidas; ejecutar unos cuantos movimientos de tijera horizontales alternando las piernas (B), antes de bajar lentamente las extremidades y volver a la posición inicial.

Partiendo de la posición tumbada boca arriba, levantar las piernas hasta la vertical y separarlas lo más posible (A). Juntar las piernas e irlas bajando lentamente pero sin que lleguen a tocar el suelo (B); levantarlas otra vez y repetir todo el ciclo.

abdominales, que se habían ido debilitando y habían ido perdiendo su elasticidad durante el embarazo, al mismo tiempo que los órganos internos van volviendo a su posición normal. También resulta muy útil para restablecer la fuerza de los músculos lumbares y recuperar un funcionamiento óptimo de las articulaciones de la columna vertebral, sometidas a una sobrecarga durante toda la gestación. La gimnasia tiene que ser practicada con regularidad, ya que si se realiza de forma esporádica no podrá cumplir sus objetivos eficazmente. Es necesario que la intensidad del trabajo muscular que hay que desarrollar y el tipo de ejercicios que hay que practicar sean programados según las necesidades de cada caso, adaptándolos a la evolución física de la mujer y a los resultados obtenidos.

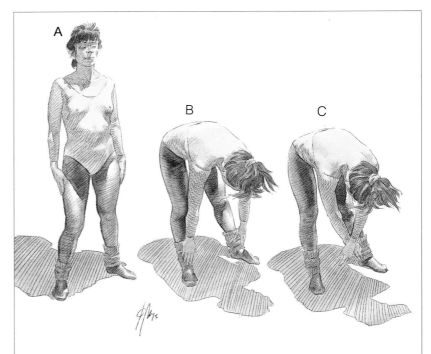

Colocarse de pie, con las manos separadas y los brazos pegados al cuerpo (A). Doblar la cintura y dejar caer los brazos extendidos hasta que las manos queden a la altura de los tobillos (B). En esta posición, balancear los brazos, de manera que las manos se crucen en la línea mediana (C).

Colocarse de pie, con las manos apoyadas en una superficie firme. Ponerse de puntillas (A), agacharse hasta sentarse sobre los talones (B) y tirar el tronco hacia atrás, pero manteniendo la espalda bien recta (C); a continuación, volver a levantarse hasta llegar otra vez a la posición inicial.

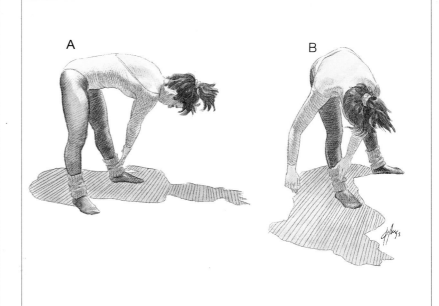

Adoptar una posición idéntica a la del ejercicio anterior. A continuación, inclinar el cuerpo hacia adelante, doblando la cintura, inspirar en esta posición y expulsar el aire al mismo tiempo que se lleva una mano hacia el tobillo de la pierna del lado contrario (A). Volver a la posición inicial y repetir el ejercicio, pero esta vez llevando el otro brazo hacia el tobillo de la pierna del otro lado (B).

A

B

C

Adoptar una posición inicial tumbada boca arriba, con los brazos pegados al cuerpo y las piernas extendidas (A).

Después, levantar las piernas y el tronco, apoyando los codos en el suelo y sosteniendo el cuerpo con las manos (B).

A continuación, llevar las piernas hacia atrás, de manera que los pies lleguen a tocar el suelo por detrás de la cabeza (C); mantener durante un minuto esta postura y después volver a la posición inicial.

A

B

C

Adoptar la posición de partida tumbada boca abajo, con los brazos extendidos hacia adelante y las piernas juntas (A).

Doblar una pierna y agarrar el tobillo con la mano del mismo lado, al mismo tiempo que se levanta la cabeza girándola hacia el lado de la pierna doblada, manteniendo siempre el otro brazo y la otra pierna en contacto con el suelo (B).

Mantener durante unos segundos la postura indicada, estirando suavemente la pierna doblada, y a continuación volver a la posición inicial. Repetir el ejercicio con la pierna y el brazo del otro lado (C).

A partir de la tercera semana del puerperio, se pueden ir incluyendo algunos ejercicios más exigentes, como los que se muestran en estas dos páginas, a fin de tonificar toda la musculatura corporal.

Sin embargo, siempre hay que respetar una adecuada progresión del esfuerzo y evitar cualquier práctica dolorosa, dejando para más adelante los ejercicios que, en cada caso particular, sean agotadores. Hay que tener en cuenta que los músculos debilitados se irán recuperando poco a poco y que los tejidos lesionados en el parto todavía se encuentran en período de reparación, por lo que sólo la constancia y la progresión darán como resultado que adquieran la configuración y la elasticidad que tenían antes del embarazo.

179

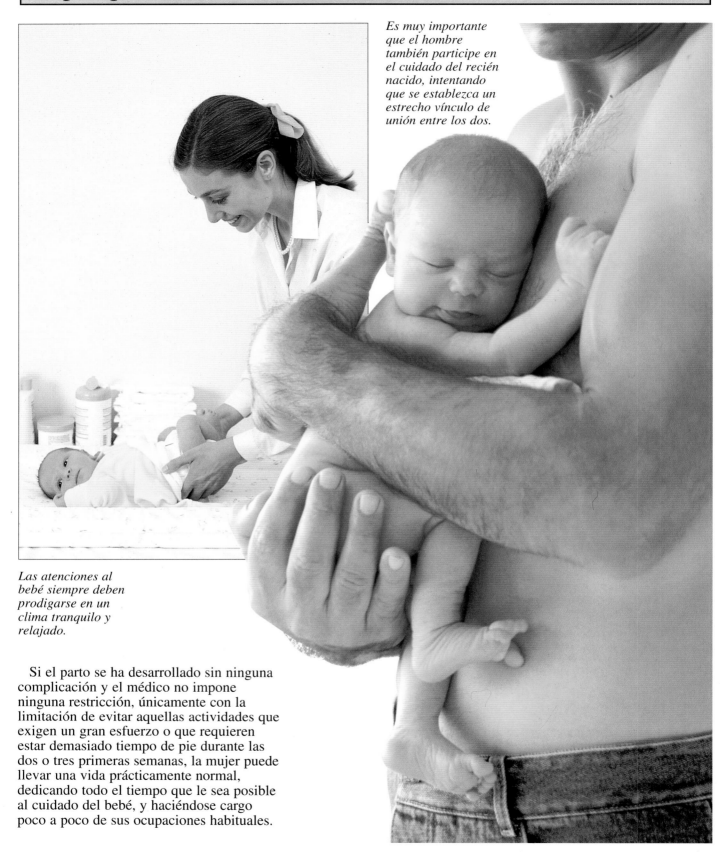

Es muy importante que el hombre también participe en el cuidado del recién nacido, intentando que se establezca un estrecho vínculo de unión entre los dos.

Las atenciones al bebé siempre deben prodigarse en un clima tranquilo y relajado.

Si el parto se ha desarrollado sin ninguna complicación y el médico no impone ninguna restricción, únicamente con la limitación de evitar aquellas actividades que exigen un gran esfuerzo o que requieren estar demasiado tiempo de pie durante las dos o tres primeras semanas, la mujer puede llevar una vida prácticamente normal, dedicando todo el tiempo que le sea posible al cuidado del bebé, y haciéndose cargo poco a poco de sus ocupaciones habituales.

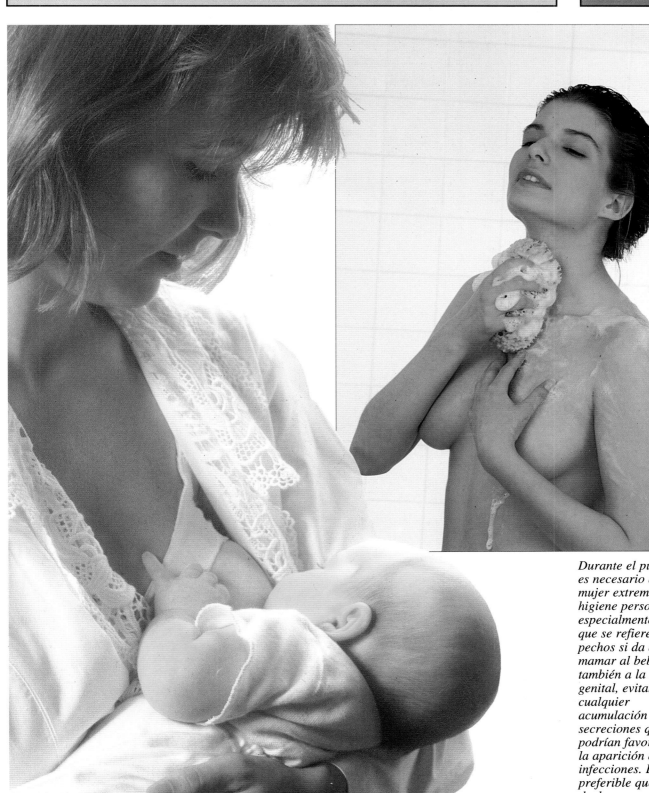

Durante el puerperio es necesario que la mujer extreme su higiene personal, especialmente en lo que se refiere a los pechos si da de mamar al bebé y también a la zona genital, evitando cualquier acumulación de secreciones que podrían favorecer la aparición de infecciones. Es preferible que se duche y que evite las irrigaciones vaginales así como los baños de inmersión.

No conviene que durante el puerperio la mujer esté inactiva, ya que manteniendo una actividad adecuada en cada fase de este período se facilita el proceso de recuperación. También es importante que respete un descanso adecuado, especialmente durante la primera semana que vuelve a estar en casa, y que evite las tareas agotadoras, como fregar o transportar objetos pesados, en las dos o tres semanas siguientes.

Es habitual que el descanso nocturno resulte alterado por las reclamaciones del bebé, por lo que es aconsejable que a lo largo del día se intercalen momentos de descanso y otros de actividades reposadas que permitan recuperar las fuerzas.

Por lo que se refiere a la actividad sexual, la única limitación durante el puerperio corresponde al coito vaginal, ya que las heridas de la zona genital todavía no están curadas y esta práctica sería dolorosa e incluso contraproducente, por lo que es preferible evitarla hasta que el médico constate la recuperación total de los órganos genitales.

Mientras tanto, no hay ningún inconveniente en que se reanuden los contactos sexuales recurriendo a cualquier otra práctica, lo que puede resultar muy positivo para mantener el deseo de la pareja y también para favorecer la estabilidad emocional de la mujer.

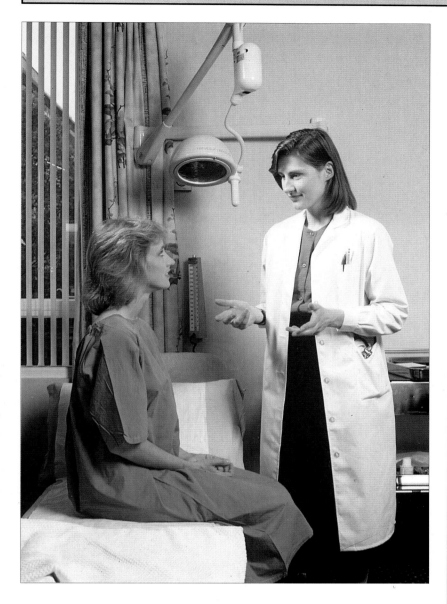

A las seis semanas del parto, se considera que el organismo materno ha vuelto a la normalidad y, por tanto, que termina el puerperio. Es necesario efectuar entonces un control médico —la popular visita de la cuarentena— para comprobar la recuperación de la zona genital, la situación en que se encuentran las mamas y el estado global de la mujer mediante un examen completo. Éste es un momento idóneo para que la mujer intercambie ideas a fin de disipar todas las dudas acerca de la lactancia, la alimentación, las relaciones sexuales o el uso de anticonceptivos y se dará por finalizado uno de los capítulos más importantes de su vida.

La visita de la cuarentena es fundamental para constatar la total recuperación del organismo femenino y poder planificar los controles que deberán hacerse posteriormente en cada caso.

Alimentación durante el puerperio y la lactancia

Hay que adaptar la dieta a las necesidades del organismo de la madre y también a las de su hijo cuando se lleva a cabo una lactancia natural.

Durante los primeros días, la alimentación es controlada por el personal sanitario, ya que las características requeridas varían si el nacimiento ha tenido lugar mediante un parto vaginal o una cesárea y en función de la anestesia utilizada. Inicialmente se ofrece una dieta ligera, pero poco a poco se vuelve a introducir una alimentación normal.

Básicamente, hay que cumplir los requisitos esenciales de una alimentación sana, es decir, que sea completa, variada y equilibrada. Y si la mujer da el pecho al niño, habrá que garantizar una aportación adecuada de sustancias nutritivas al bebé sin que ello implique deficiencias para el organismo materno.

La dieta de la mujer lactante tiene que proporcionar unas 500 calorías diarias de suplemento para la producción de leche, y asegurar un consumo de 40 o 50 gramos de proteínas al día y una buena ingestión de calcio y de vitaminas.

Entre los alimentos más importantes, hay que incluir aquellos que son ricos en proteínas, como la carne, el pescado y los huevos, así como la leche, que también es una excelente fuente de calcio y de vitaminas. Conviene tomar cada día un litro y medio de leche o su equivalente en productos lácteos.

No hay que descuidar nunca una buena aportación de líquidos, por lo que se tomará una cantidad abundante de agua, leche, zumos de fruta o caldos, pero evitando las bebidas que contienen sustancias que pueden pasar a la leche y afectar al bebé, como el café, las bebidas refrescantes a base de cola y, especialmente, las bebidas alcohólicas. También conviene evitar algunos alimentos aromáticos que pueden dar mal sabor a la leche, entre los que se pueden incluir los espárragos, la col, la cebolla, el brécol, las alcachofas y el apio.